La collection
Découverte de la vie publique

Découverte de la vie publique est une **nouvelle collection**, éditée par La Documentation française, qui a pour vocation de présenter de façon à la fois pédagogique et rigoureuse le fonctionnement des institutions et de la vie publique en France.

Pédagogique, car les textes sont élaborés par des spécialistes des questions abordées ayant une expérience de l'enseignement, mais aussi parce que chaque thème est traité sous forme de questions-réponses afin de le rendre plus accessible. Tous les mots, ou expressions, techniques ou spécifiques sont explicités et des illustrations permettent d'avoir une vision claire et immédiate de certains mécanismes institutionnels. **Rigoureuse**, car le thème abordé dans un volume de la collection est traité de la façon la plus complète possible. Des encadrés portant sur des sujets plus spécifiques ou techniques complètent d'ailleurs les questions-réponses.

Chaque ouvrage se décline donc en plusieurs chapitres composés de questions-réponses et d'encadrés, complétés parfois par des schémas ou *quizz*. Des annexes comportant notamment une liste de liens commentés clairement vers des sites de référence, constituent un utile complément d'information. Enfin, la table des matières, récapitulant la liste des questions-réponses et des encadrés, permet de se retrouver rapidement dans l'ouvrage.

Cette collection est une déclinaison révisée de la rubrique «Découverte des institutions» du portail d'informations citoyennes administré par la Documentation française, www.vie-pub
utile complément.

Sommaire

Chapitre 1
Définir l'administration 7

Chapitre 2
L'administration d'État 27

Chapitre 3
L'administration territoriale décentralisée 47

Chapitre 4
Les autres structures administratives 79

Chapitre 5
Les agents de l'administration 91

Chapitre 6
L'action de l'administration 113

Chapitre 7
Une administration contrôlée 135

Chapitre 8
Moderniser l'administration 163

Annexe
Liens utiles 191

Table des matières 195

CHAPITRE 1

DÉFINIR L'ADMINISTRATION

Comment définir l'administration ?

▶▶ **Le mot administration peut revêtir deux sens différents.** Si on s'attache à la fonction de l'administration (définition fonctionnelle), le mot désigne l'ensemble des activités dont le but est de répondre aux besoins d'intérêt général de la population (ordre public, marche des services publics...), tels qu'ils sont définis à un moment donné par l'opinion publique et le pouvoir politique. Il s'écrit alors avec un petit « a ».

Mais, si on s'attache à son organisation (définition organique), il désigne l'ensemble des personnes morales (État, collectivités territoriales, établissements publics...) et physiques (fonctionnaires, contractuels...) qui accomplissent ces activités. Le mot administration s'écrit alors avec un grand « A ». Il existe là encore deux approches : une conception large considère que les organismes privés chargés d'une action administrative font partie de l'administration et une conception restreinte les exclut.

▶▶ **En France, l'administration est rattachée au pouvoir exécutif et lui est subordonnée** (art. 20 de la Constitution). On distingue l'administration d'État dont les compétences s'étendent à tout le territoire, l'administration territoriale dont les pouvoirs sont limités à la région, au département ou à la commune, et les établissements publics aux compétences spécialisées.

▶▶ Afin de mener à bien ses activités, **l'administration dispose de moyens propres : les prérogatives de puissance publique**. Il s'agit de pouvoirs de commandement que ne détiennent pas les personnes privées, qui permettent à l'administration d'imposer sa volonté et qui lui sont transmis par le pouvoir exécutif dont elle dépend. Ainsi, par exemple, lorsque l'administration prend une décision à l'encontre d'un administré, elle peut sous certaines conditions la faire exécuter d'elle-même sans en demander la permission au juge, à la différence d'un particulier (ex : un propriétaire souhaitant faire expulser un locataire ne payant pas son loyer). C'est le privilège de l'« exécution d'office ».

L'administration est donc soumise pour la plupart de ses activités à un droit spécial, le **droit administratif**. Toutefois, le droit privé s'applique pour certaines de ses activités définies par la loi.

Quelles sont les différences entre administration et fonction publique ?

L'administration a pour objectif essentiel de satisfaire l'intérêt général. La fonction publique est un des moyens dont elle dispose pour y parvenir.

L'administration assure des services considérés comme utiles à la société et non rentables. Ils peuvent être non rentables par nature ou parce qu'on considère qu'ils ne doivent pas être entièrement ou uniquement fondés sur le principe de rentabilité (ex : l'enseignement). L'intérêt général a donc un périmètre variable et dépend de la définition qu'en font la population et les pouvoirs politiques à un moment précis.
L'administration dispose de différents types de moyens pour assurer ses missions d'intérêt général : des moyens juridiques (ex : prérogatives de puissance publique, clauses exorbitantes de droit commun pour les contrats administratifs), des moyens matériels (ex : le domaine public des personnes publiques comme les routes, les bâtiments publics), des moyens humains dont la fonction publique.

La fonction publique est au service de l'administration. Elle comprend l'ensemble des fonctionnaires, c'est-à-dire l'ensemble des personnes nommées dans un emploi permanent et titularisées dans un grade de la hiérarchie des administrations de l'État, des collectivités territoriales ou des hôpitaux. En effet, il existe trois grandes fonctions publiques : la fonction publique d'État, la fonction publique territoriale (communes, départements, régions) et la fonction publique hospitalière.
Les fonctionnaires travaillent au service de l'intérêt général et sont donc astreints à des règles strictes dans l'exercice de leurs fonctions. Par exemple, ils doivent respecter une

parfaite neutralité, l'obligation d'obéir à leur hiérarchie, de ne pas divulguer à l'extérieur du service des informations dont ils ont eu connaissance dans leurs fonctions (discrétion professionnelle).

Quelle distinction entre administration et service public ?

Le service public apparaît encore aujourd'hui comme une fonction clé de l'Administration, c'est-à-dire de l'ensemble des structures publiques ou privées chargées d'accomplir des activités d'intérêt général.

▶▶ Cependant, comme le mot administration, l'expression **service public revêt plusieurs sens**. Elle désigne d'une part, une **activité ou une mission d'intérêt général** (ex : service public de l'école, du ramassage des ordures) et, d'autre part, **l'ensemble des organismes en charge de ces activités d'intérêt général** et qui peuvent être aussi bien publics que privés (ex : les sociétés d'autoroutes). On passe ainsi « du » service public, « aux » services publics.

▶▶ **La loi définit les missions relevant du service public.** Elles ont donc varié avec le temps et se sont étendues aux domaines économique, social et culturel. Ainsi, en 1916, la jurisprudence du Conseil d'État ne qualifiait pas l'exploitation d'un théâtre de service public, puis changeait d'avis en 1944.

▶▶ Pendant longtemps, le service public était le critère unique conditionnant l'application du droit administratif et la compétence de la justice administrative (théorie de l'« école du service public »). Au cours du XXe siècle, cette condition n'a plus été suffisante avec l'extension des activités de service public au domaine économique et la place plus importante prise par le droit privé.
Ainsi, selon la nature de l'activité et de la structure qui en est chargée, on peut distinguer plusieurs cas de figure :
– les **services publics administratifs** (SPA) : très divers, regroupant les services qui n'ont pas de but industriel ou commercial (ex : défense, éducation nationale...). Ils sont principalement gérés par des organismes publics et le droit administratif y est prédominant ;

– les **services publics industriels et commerciaux** (SPIC) : sont apparus à partir de l'arrêt du Conseil d'État dit du *Bac d'Eloka* (1921). Ils peuvent être assurés par des organismes publics ou privés. Lorsqu'il s'agit d'organismes privés, le droit privé s'y applique majoritairement, mais le droit administratif n'en est pas absent. Ainsi, ils restent soumis à la tutelle des pouvoirs publics (État, collectivités territoriales) qui vérifient s'ils mènent à bien leur mission, doivent respecter le principe d'égalité d'accès des usagers au service public et peuvent bénéficier d'une situation de monopole sur l'ensemble ou une partie du territoire national (exception au principe de concurrence du secteur privé).

La notion de service public

La notion de service public est essentielle en France. La « défense » du service public et la crainte d'une « remise en cause » du service public sont des thèmes récurrents du débat politique. Durant les grèves de novembre et décembre 1995, le Premier ministre a cru pouvoir apaiser le climat en proposant d'inscrire la notion de service public dans la Constitution. C'est dire son importance capitale... La difficulté est que le périmètre de cette notion est variable dans le temps et dépend de la définition qu'en donnent la population et le pouvoir politique à un moment donné. De plus, l'expression service public désigne deux éléments différents : une mission, qui est une activité d'intérêt général, et un mode d'organisation consistant, de façon directe ou indirecte, à faire prendre en charge ces activités d'intérêt général par des personnes publiques (État, collectivités territoriales, établissements publics) ou privées mais sous le contrôle d'une personne publique.

Le service public remplit plusieurs fonctions selon un régime juridique bien fixé

Selon les finalités poursuivies, **le service public remplit quatre fonctions principales**. On distingue les services publics à finalité d'ordre et de régulation (la défense nationale, la justice, la protection civile, les ordres professionnels...), ceux ayant pour but la protection sociale et sanitaire (Sécurité sociale, service public hospitalier...), ceux à vocation éducative et culturelle (l'enseignement, la recherche, service public audiovisuel...) et ceux à caractère économique.

Le régime juridique du service public est organisé autour de **trois grands principes**. Le premier est celui de la **continuité du service public**. Il constitue un des aspects de la continuité de l'État et a été qualifié de principe constitutionnel par le Conseil constitutionnel (1979). Il repose sur la nécessité de répondre aux besoins d'intérêt général sans interruption. Cependant, selon les services, la notion de continuité n'a pas le même contenu (permanence totale pour les urgences hospitalières, horaires prévus pour d'autres). La jurisprudence du Conseil d'État est très précise sur cette exigence : est ainsi condamné un service

qui ne respecterait pas les heures d'ouverture annoncées (ouverture tardive, fermeture hâtive). Toutefois, ce principe de continuité doit s'accommoder du principe, constitutionnel lui aussi, du droit de grève. La plupart des agents des services publics disposent de ce droit, à l'exception de certaines catégories pour lesquelles la grève est interdite (policiers, militaires...) ou limitée par un service minimum (navigation aérienne, télévision et radio...).
Le deuxième principe est celui de **l'égalité devant le service public**. Également principe à valeur constitutionnelle, il est l'application à ce domaine du principe général d'égalité de tous devant la loi, proclamé par la Déclaration des droits de l'homme et du citoyen de 1789. Il signifie que toute personne a un droit égal à l'accès au service, participe de manière égale aux charges financières résultant du service (égalité tarifaire sauf pour les services facultatifs, tels que les écoles de musique), et enfin doit être traitée de la même façon que tout autre usager du service. Ainsi, le défaut de neutralité – principe qui est un prolongement du principe d'égalité – d'un agent du service public, par exemple une manifestation de racisme à l'encontre d'un usager, constitue une grave faute déontologique.
Enfin, le dernier principe de fonctionnement du service public est celui de **l'adaptabilité ou mutabilité**. Présenté comme un corollaire du principe de continuité, il s'agit davantage d'assurer au mieux qualitativement un service plutôt que sa continuité dans le temps. Cela signifie que le service public ne doit pas demeurer immobile face aux évolutions de la société ; il doit suivre les besoins des usagers (ex : souplesse d'organisation des services publics) ainsi que les évolutions techniques (ex : passage, au début du XXe siècle, du gaz à l'électricité).

À ces éléments s'est ajoutée la place traditionnellement importante de l'État en France. Depuis l'époque de Colbert (XVIIe siècle), la puissance publique a toujours considéré qu'elle avait un rôle à jouer dans le développement économique du pays. Le service public a souvent servi de fondement à cet effort de développement dans des domaines extrêmement variés : transports ferroviaires (Plan Freycinet à la fin du XIXe siècle), transports aéronautiques (Concorde), téléphone (appui donné à l'entreprise Cit-Alcatel durant les années 1970)...

Construction européenne et remise en cause du service public « à la française »

Les traités sur l'Union européenne et instituant la Communauté européenne accordent une place importante au principe de concurrence. C'est pourquoi **les rares dispositions traitant des services publics ne se présentent que comme des exceptions au principe de concurrence**, envisagées de manière très restrictives.
Dans le vocabulaire européen, on ne parle pas de services publics mais de « services d'intérêt général (SIG) » et de « services d'intérêt économique général (SIEG) ». Cependant, seuls les SIEG sont mentionnés dans les traités européens mais sans être définis. Dans la pratique, les SIG désignent les services marchands et non marchands que les États considèrent comme étant d'intérêt général et qu'ils soumettent à des obligations spécifiques de service public. Les SIEG ont un sens plus restreint et désignent uniquement les services de nature économique soumis à ces obligations de service public (ex : transports, services postaux, énergie, communications). Ils constituent en quelque sorte un sous-ensemble des SIG. Seuls les SIEG sont soumis aux règles de la concurrence, à la seule condition que l'accomplissement de leur mission ne soit pas compromis.

Dans cette optique restrictive, plusieurs directives ont, ces dernières années, mis fin à la situation de monopole de certains services publics (exemple de la directive qui a entraîné le vote de la loi du 26 juillet 1996 consacrant la généralisation de la concurrence en matière de télécommunications).
La Commission européenne a nourri le débat sur les services publics en publiant notamment un *Livre vert* (2003) et un *Livre blanc* (2004) sur les **SIG**. Elle y rappelle qu'ils constituent un **élément essentiel du modèle de société européen** permettant d'améliorer la qualité de vie de tous les citoyens et de lutter contre l'exclusion sociale. Le projet de Constitution européenne consacrait d'ailleurs la place des SIEG dans le modèle communautaire, puisque l'Union et ses États membres devaient veiller à ce qu'ils fonctionnent selon des conditions, notamment financières, leur permettant d'accomplir leurs missions. Mais, ce texte n'étant pas ratifié par l'ensemble de l'UE, le débat reste en suspens.
Dans ces conditions, si le droit communautaire ne constitue pas nécessairement une menace pour le service public français, il entraîne en revanche, nécessairement, des réformes de l'organisation du service public « à la française ».

Secteur public et service public sont-ils synonymes ?

Il n'existe pas de définition juridique précise de la notion de secteur public. On peut néanmoins le définir comme le secteur regroupant toutes les activités économiques et sociales prises en charge par les administrations, les entreprises publiques et les organismes publics de Sécurité sociale (les caisses nationales).

Le secteur public comprend donc trois composantes :
– les administrations, qui prennent en charge des activités d'intérêt général ;
– les entreprises publiques, c'est-à-dire les entreprises dans lesquelles une personne publique détient la majorité du capital. Elles étaient traditionnellement considérées comme un élément de la politique économique et sociale du gouvernement, dont les choix pouvaient différer sensiblement de ceux des entreprises privées. Aujourd'hui, toutefois, leur mode de fonctionnement est de plus en plus proche de celui des entreprises privées ;
– les établissements publics administratifs chargés de la Sécurité sociale, les caisses nationales, qui assument la gestion des grandes politiques sociales de la nation. Ils s'appuient d'ailleurs sur des organismes de droit privé à forme mutualiste (les caisses de base).

Secteur public et service public ne se confondent pas. En effet, les activités de service public peuvent être prises en charge par des organismes privés (délégations de service public) qui, par définition, n'appartiennent pas au secteur public. Le « périmètre » du service public est plus large que celui du secteur public.

Quelles sont les différentes fonctions de l'administration ?

L'administration exerce différentes fonctions dont les principales sont :

– **L'application de la loi** : c'est à la fois une obligation, puisqu'une administration ne respectant pas la loi se trouve dans une situation d'illégalité, et une nécessité, par la gestion des mesures qui précisent la loi et la rendent applicable sur le terrain (ex : décret d'application).

– **La police administrative** : il s'agit de maintenir de l'ordre public, c'est-à-dire d'assurer la tranquillité, la sécurité et la salubrité des administrés. Les mesures de la police administrative sont préventives et se distinguent de celles de la police judiciaire qui répriment les atteintes à l'ordre public. Mais cette différenciation n'est pas toujours aussi rigoureuse et des actions de police peuvent être mixtes. Les autorités titulaires, au nom de l'État, de ce pouvoir de police administrative sont le Premier ministre pour l'ensemble du territoire (sous réserve des pouvoirs accordés au président de la République par les articles 13 et 16 de la Constitution), le ministre de l'Intérieur et le préfet, dans le cadre du département. Le maire est, quant à lui, titulaire d'un pouvoir de police administrative, mais au nom de sa commune, sur son territoire.

– **La gestion directe de services publics** : l'administration assure elle-même un certain nombre de services, tels que la police (administration de l'État), l'aide sociale (administration départementale), la gestion des immeubles scolaires (administrations communale, départementale ou régionale), l'éducation nationale (administration étatique). Elle effectue aussi un contrôle sur la gestion des services publics gérés par des personnes privées (ex : le service de l'eau).

L'évolution du périmètre du secteur public d'entreprises

Le périmètre du secteur public d'entreprises – c'est-à-dire de l'ensemble constitué par les entreprises publiques dont l'État détient plus de 50 % du capital – a beaucoup évolué ces trente dernières années. Ces évolutions contrastées sont les conséquences des alternances politiques et, avec elles, des nationalisations et privatisations successives. Néanmoins, la construction d'un secteur public envisagé comme un outil dans les mains du pouvoir exécutif trouve une origine plus lointaine.

Les deux premières vagues de nationalisations au milieu du XXe siècle

Le secteur public est le résultat de nombreuses nationalisations dont **la première vague a été lancée sous le Front populaire à partir de 1936**. Une nationalisation est une opération juridique qui consiste à transférer la propriété d'une entreprise à la collectivité contre une indemnisation des actionnaires. Elle peut porter sur la totalité du capital de l'entreprise ou seulement une partie mais supérieure à 50 % de son capital. Une entreprise publique est donc une entreprise, contrôlée directement ou non, par les administrations publiques (État, collectivités territoriales) du fait de la propriété ou de sa participation financière.

Le Front populaire est à l'origine à la fois de la création d'entreprises publiques et de nationalisations d'entreprises privées. Ainsi, par exemple, la Société nationale des chemins de fer français (SNCF) a été créée le 1er janvier 1938 après la nationalisation des chemins de fer dont les compagnies gérantes avaient été mises à mal par la crise de 1929. Le gouvernement d'union de la gauche, sans s'engager dans une politique dirigiste, entendait néanmoins disposer d'outils de gestion de l'économie dans certains secteurs jugés clés.

Mais, c'est **surtout au lendemain de la Seconde Guerre mondiale, en 1945 et 1946**, que le pouvoir s'engage dans une politique résolue de nationalisations. Elle se situe dans le droit fil du programme du Conseil national de la Résistance adopté le 15 mars 1944 et qui proposait « le retour à la nation des grands moyens de production monopolisés, fruit du travail commun, des sources d'énergie, des richesses du sous-sol, des compagnies d'assurances et des grandes banques ». Cependant, certaines nationalisations ont aussi eu une dimension politique et sont apparues comme une sanction à l'égard de dirigeants jugés trop engagés dans la collaboration avec l'ennemi. Ainsi, Renault est transformée en régie nationale en janvier 1945. Toutefois, pour la majorité de ces nationalisations, il s'agissait de disposer d'instruments d'intervention dans les secteurs clés. C'est pourquoi ont été nationalisées, entre autres, les industries du gaz et de l'électricité (loi du 8 avril 1946), du charbon (création des Charbonnages de France par la loi du 17 mai 1946), la Banque de France (loi du 2 décembre 1945) et quatre grandes banques de dépôt, mais aussi plus de trente compagnies d'assurance, Air France (ordonnance du 26 juin 1945) ou encore des transports parisiens.

Une situation inchangée pendant près de quarante ans

La **troisième vague de nationalisations intervient à l'occasion du retour de l'alternance en France en 1981**.

Lorsque la gauche parvient à retrouver le pouvoir après presque 25 ans (depuis le gouvernement Guy Mollet de février 1956 à juin 1957), elle met en œuvre un programme économique interventionniste. L'un des piliers de ce programme consiste précisément en une série de nationalisations décidées par la loi du 11 février 1982. Ce ne sont pas moins de trente-six banques, deux compagnies financières aussi importantes que Suez et Paribas et cinq grands groupes industriels (CGE, Saint-Gobain, Pechiney, Rhône-Poulenc, Thomson) qui font leur entrée dans le secteur public.

Les chiffres parlent d'eux-mêmes. En 1982, après cette nouvelle vague de nationalisations, le secteur public représente 23 % du produit intérieur brut. Il comprend plus de 3000 entreprises, et emploie 1,9 million de personnes, c'est-à-dire 9 % de la population active.

Lorsque s'engage la campagne électorale pour les élections législatives de mars **1986**, la droite présente un programme économique inspiré des modèles reaganien et thatchérien. Parmi les mesures préconisées figurent en bonne place des **privatisations** qui doivent profondément modifier la physionomie du secteur public. Cette évolution se révèle capitale puisque, depuis lors, les privatisations d'entreprises publiques n'ont plus cessé.

La loi du 2 juillet 1986 a fixé la liste de la soixantaine d'entreprises à privatiser et celle du 6 août 1986 a précisé les modalités de mise en œuvre. De 1986 à 1988, seulement une dizaine d'entreprises ont été effectivement vendues. Elles concernaient trois secteurs essentiels : les banques et les assurances – Société Générale (juin 1987), Paribas (janvier 1987), Suez (fin 1987) et Crédit commercial de France (mai 1987) –, l'industrie – avec Saint-Gobain (1986), la Compagnie générale d'électricité, future Alcatel, (1987) et Matra (1988) –, enfin la communication avec l'Agence Havas (1987) et TF1 (1987).

Malgré la nouvelle alternance de **1988** et la « doctrine » du « *ni-ni* » (*ni* nationalisation, *ni* privatisation) défendue par le président Mitterrand, le gouvernement socialiste s'engage dans des **privatisations partielles**, les capitaux publics restant majoritaires. Plusieurs moyens sont alors employés : la cession d'activités de certaines entreprises publiques (ex : filiales de la parachimie cédées au groupe Total), la réduction du capital contrôlé par l'État (ex : Elf Aquitaine, Rhône-Poulenc, Crédit local de France), le changement de statut de certaines entreprises ouvrant la porte à d'autres privatisations (ex : Renault avec la loi du 4 juillet 1990).

Le **retour de la droite au pouvoir (1993-1997) correspond à une nouvelle grande vague de privatisations**. La loi du 19 juillet 1993 prévoit le transfert de 21 entreprises. L'industrie est concernée au premier chef (notamment Rhône-Poulenc en 1993, Elf Aquitaine en 1994, Seita, Pechiney et Usinor en 1995, Renault en 1996). Mais la banque et les assurances sont également concernées (BNP et UAP en 1993, AGF en 1996).

Entre **1997 et 2002, le gouvernement Jospin a en réalité poursuivi le transfert des entreprises publiques vers le secteur privé**. En effet, de nombreuses ouvertures partielles de capital ont été réalisées durant cette période, l'État restant majoritaire. Cela a notamment été le cas dans le secteur industriel (Thomson Multimedia en 1999), dans la banque et l'assurance (CNP en 1998), les transports (Air France en 1999) ou encore les télécommunications (avec France Télécom en 1997 et 1998). Mais dans plusieurs cas, l'ouverture aux capitaux privés des entreprises publiques a abouti à leur privatisation, l'État cédant sa part majoritaire (CIC et GAN en 1998, Crédit Lyonnais en 1999 ou Banque Hervet en 2000).

Enfin, **depuis 2002, l'État a continué de céder certaines de ses participations dans des entreprises françaises**, tandis que quelques opérations d'envergure ont été réalisées. C'est ainsi que France Télécom a été transférée au secteur privé en 2004, de même qu'Air France, la même année, afin de faciliter le rapprochement avec l'entreprise néerlandaise KLM. On peut mentionner aussi les décrets des 2 et 16 février 2006 autorisant respectivement les privatisations totales de la Société Autoroutes du Nord et de l'Est de la France (SANEF) et de la Société Autoroutes Paris-Rhin-Rhône. Elles sont suivies par la cession de la totalité des actions de l'État dans la société Autoroutes du Sud au groupe Vinci en mars 2006. Enfin, dans le secteur de l'énergie, on peut évoquer l'ouverture partielle du capital de GDF à l'été 2005 et de celui d'EDF en novembre 2005, l'État restant dans les deux cas majoritaire. Cependant, sa position dans le capital de GDF est aujourd'hui remise en cause par le projet de fusion de GDF avec l'entreprise Suez, annoncé en septembre 2007, puisqu'il détiendrait à terme seulement 35 % du capital GDF-Suez.

Les privatisations ont obéi à des motifs variés

Si les privatisations ont traduit, au moins pour les majorités dites conservatrices, une conception restrictive du rôle de l'État dans l'économie, elles ont souvent été guidées par des exigences pratiques.

En effet, les privatisations fournissent des **ressources budgétaires** qui, bien que ponctuelles, n'en sont pas moins importantes dans un contexte de fort endettement de l'État. Ainsi a-t-on pu estimer que les recettes de privatisation (totale ou partielle) entre 1986 et 2005 s'élevaient à un total de 82 milliards d'euros.

Enfin, dans un contexte de forte concurrence internationale, les privatisations **permettent aux entreprises concernées d'investir** grâce à des augmentations de capital que l'État, compte tenu de sa situation financière obérée, n'aurait pas été en mesure de financer.

Comment l'administration participe-t-elle à l'application des lois ?

L'administration participe à l'application des lois de deux manières.

▶▶ À la base, **aux « guichets », l'administration met en œuvre de manière très concrète les lois votées par le Parlement**. Ainsi, si la loi du 1er décembre 1988 a mis en place le revenu minimum d'insertion, il revient aux administrations de verser les prestations monétaires correspondantes et d'enregistrer les bénéficiaires de ces mêmes prestations.

▶▶ **Au niveau central**, l'application de la loi consiste en la **rédaction des mesures réglementaires d'application** (décret, arrêtés, circulaires) que nécessite le texte de loi. En effet, la plupart des lois contiennent des dispositions qui renvoient, pour les détails, à des décrets à venir. Une fois la loi promulguée vient donc le temps de la préparation des décrets d'application. Ils sont rédigés par les administrations seules, sans aucune participation du Parlement. La règle, bien évidemment, est que le décret d'application de la loi doit lui être conforme. Il ne peut être question, sous couvert d'application, de modifier la loi d'origine pour lui ajouter ou lui retrancher des mesures.

▶▶ Par ailleurs, **la longueur des délais entre la promulgation d'une loi et la prise des décrets d'application constitue un problème** pour la bonne mise en œuvre de la loi. L'opinion publique peut penser que la loi est appliquée dès sa promulgation, mais en réalité il faut parfois attendre très longtemps avant que les décrets d'application n'interviennent.
Cependant, il est possible pour un citoyen de saisir le juge administratif lorsque l'administration refuse, sans motif valable, de prendre les décrets d'application prévus par une loi.

Qui dirige l'administration ?

On distingue dans l'organisation de l'administration, l'administration d'État, dont les compétences s'étendent à tout le territoire, et l'administration territoriale dont les pouvoirs sont limités à la région, au département ou à la commune.

▶▶ **Selon la Constitution, le gouvernement dirige l'administration. Il s'agit de l'administration d'État.** L'article 20 précise qu'il en « dispose ». Ce terme fort a été utilisé en réaction à la IVe République, sous laquelle, en raison de l'instabilité gouvernementale, l'administration avait pris une importance croissante assurant ainsi un pôle de stabilité que les politiques ne pouvaient plus offrir.

▶▶ **L'administration territoriale, quant à elle, est sous l'autorité de l'exécutif de la région, du département, ou de la commune**, c'est-à-dire du président du conseil régional, général ou du maire.

▶▶ Néanmoins, **des spécialistes de science administrative font valoir que l'administration a également tendance à se « diriger elle-même ».** En effet, il existe, au sein des différentes administrations, des habitudes, des « phénomènes de corps », qui peuvent constituer un obstacle à la direction de l'administration par le gouvernement. Les ministres choisissent d'ailleurs souvent, comme membres de leur cabinet, des hauts fonctionnaires de leur ministère qui en connaissent parfaitement les rouages et « l'esprit ». C'est pourquoi on considère parfois que le ministre tend à devenir le porte-parole de son administration au sein du gouvernement, au lieu d'être le relais du gouvernement vers son administration.
À ce propos, le président de la République, Nicolas Sarkozy, souhaite simplifier l'organisation de l'administration d'État en supprimant les « organismes inutiles » et en divisant le nombre de directeurs d'administration centrale par deux (discours du 30 août 2007 à l'Université d'été du Medef).

Subordination et indépendance de l'administration par rapport au gouvernement

Les relations entre le gouvernement et l'administration sont régies par un subtil équilibre entre une nécessaire subordination, afin que le gouvernement puisse mener à bien sa politique, et une non moins nécessaire autonomie, permettant aux fonctionnaires de ne pas être soumis, dans l'exercice de leur mission, à des pressions excessives. Cette question est sensible en France en raison de son histoire. En effet, sous la IIIe puis sous la IVe République, les faiblesses du pouvoir politique – liées notamment à l'instabilité gouvernementale et aux dissensions internes des majorités – ont conduit les hautes sphères de l'administration a joué, dans les faits, un rôle plus important. La période du régime de Vichy a également posé la question du devoir de désobéissance des fonctionnaires.

Une subordination de principe

Cette subordination s'explique par les mécanismes et les principes de la démocratie. L'expression de la volonté générale s'effectuant à travers la représentation politique nationale (Parlement et gouvernement), **l'administration n'a, dès lors, qu'une fonction instrumentale par rapport au pouvoir politique** : elle existe dans le but de mettre en œuvre les options choisies par le suffrage universel. En ce sens, les décisions administratives sont nécessairement « commandées » par la volonté politique.

La subordination de principe de l'administration se repère à de nombreux éléments sous la Ve République. D'abord, l'article 20 de la Constitution du 4 octobre 1958 établit que **le gouvernement « dispose » de l'administration**. Derrière ce terme fort, on remarque la volonté des constituants de rappeler que la place centrale en démocratie doit être réservée aux organes élus ou indirectement issus de l'élection. Par ailleurs, l'Exécutif dispose d'un pouvoir de nomination aux emplois civils et militaires. En vertu de l'article 13 de la Constitution, ce pouvoir appartient au président de la République. Il peut toutefois le déléguer au Premier ministre. Enfin, cette subordination prend un tour particulier au sein des Exécutifs locaux : les élus y sont à la fois détenteurs du pouvoir politique, en tant que chef de l'Exécutif local, et chef des services administratifs de la collectivité. Cette situation particulière nécessite une protection importante des fonctionnaires subordonnés à ces élus.

La subordination de l'administration se traduit, dans le système français, par des obligations pour les fonctionnaires. D'abord, ils doivent se consacrer entièrement à leur fonction : le cumul d'activités professionnelles est interdit et donc toute activité lucrative privée complémentaire est exclue sauf dérogation. Les fonctionnaires doivent également observer une discrétion professionnelle et une obligation de secret : ils ne doivent jamais divulguer des documents ou des informations dont ils ont eu connaissance dans l'exercice de leurs fonctions. Ils doivent ensuite respecter un devoir d'obéissance hiérarchique : un fonctionnaire ne peut refuser d'exécuter un ordre de son supérieur, sauf si celui-ci est manifestement illégal. Les membres de l'administration ont également un devoir de loyauté : ils doivent servir loyalement le gouvernement et observer une totale neutralité dans l'exercice de leurs fonctions (ex : ne pas faire part de ses opinions politiques ou religieuses face aux usagers d'un service public). Cette obligation peut aller très loin pour certains fonctionnaires : ainsi, les militaires ne peuvent adhérer ni au syndicat ni au parti politique de leur choix. De même, les agents publics sont tenus à une obligation de réserve : lorsqu'ils prennent la parole en public, ils doivent faire preuve de retenue à l'encontre du gouvernement.

La réduction de la subordination administrative par l'autonomie

Une certaine autonomie permet cependant d'éviter une politisation excessive de l'administration. Les agents publics se sont donc vus reconnaître des règles et des droits les protégeant du pouvoir politique.

Il s'agit tout d'abord des **règles concernant le recrutement des fonctionnaires**. Selon l'article 6 de la Déclaration des droits de l'homme et du citoyen de 1789, tous les citoyens « *sont également admissibles à toutes dignités, places et emplois publics, selon leur capacité, et sans autre distinction que celle de leurs vertus et de leurs talents* ». Les discriminations, fondées notamment sur les opinions politiques, ne sont donc pas tolérées pour l'entrée dans la fonction publique. Le Conseil d'État a d'ailleurs sanctionné le gouvernement dans un arrêt célèbre, pour avoir refusé plusieurs candidatures au concours d'entrée de l'École nationale d'administration en raison des opinions politiques communistes des candidats (arrêt *Barel*, 28 mai 1954). Cette exigence d'égalité d'accès et de non-discrimination dans le recrutement a eu pour conséquence l'adoption de la règle du recrutement par concours. Le statut général des fonctionnaires (1983) établit que « *les fonctionnaires sont recrutés par concours sauf dérogation prévue par la loi* » (loi du 13 juillet 1983). Ce système doit permettre de recruter les meilleurs éléments, tout en respectant un certain anonymat.

Les autres dispositions protectrices des fonctionnaires concernent leur carrière. Le préambule de la Constitution de la IVe République (1946) dispose que « *nul ne peut être lésé, dans son travail ou son emploi, en raison de ses origines, de ses opinions ou de ses croyances* ». Le contenu de ce texte à valeur constitutionnelle a été repris dans l'article 6 du statut général des fonctionnaires de juillet 1983. Pour assurer le respect de cette exigence, une première mesure doit être mise en œuvre : il s'agit de la distinction entre le grade d'un fonctionnaire – c'est-à-dire sa position dans l'échelle d'un corps de la fonction publique – et de l'emploi qu'il occupe. Ainsi, les fonctionnaires sont protégés d'une éventuelle suppression de leur emploi, qui pourrait être décidée en raison de leurs opinions politiques. De même, l'avancement d'échelon dans un grade, qui détermine le niveau de rémunération, se fait à l'ancienneté. Cela permet d'éviter qu'un fonctionnaire soit privé d'une augmentation à cause de ses opinions. Ensuite, plusieurs organes permettent d'associer les fonctionnaires à la détermination de leurs conditions de travail (ex : commissions administratives paritaires). Enfin, une disposition importante, datant de la loi de finances de 1905 et reprise à l'article 18 du statut général de 1983, autorise tout fonctionnaire à consulter son dossier afin d'en vérifier le contenu : il ne peut comporter des informations relatives à ses idées politiques.

Administration et bureaucratie

Une critique traditionnelle adressée à l'administration a trait au développement de la bureaucratie. Ce thème a trouvé une nouvelle actualité à l'occasion de la contestation du rôle de la Commission européenne au sein de l'Union européenne.
Depuis les analyses de Max Weber (1864-1920) sur la bureaucratie, a pu se développer la crainte d'une confiscation du pouvoir par la fonction publique, en raison de ses compétences techniques. Il convient, selon nombre de théoriciens, d'éviter que ne se constitue un véritable « pouvoir administratif ».
En définitive, la difficulté, au sein des institutions, est de réaliser le juste équilibre entre subordination, permettant de laisser le dernier mot au politique, et autonomie, octroyant une nécessaire protection aux fonctionnaires.

Quelles sont les spécificités de l'administration française ?

L'administration française se caractérise par une forte proportion de fonctionnaires de l'État et une fonction publique organisée selon le système des carrières.

▶▶ **L'État, en France, est le principal employeur d'agents publics** (2,5 millions sur 5 millions d'agents publics au 31 décembre 2003) devant les collectivités territoriales (1,5 million) et le système hospitalier (moins d'un million). Cette proportion est différente en Angleterre ou en Allemagne, où la fonction publique d'État est quantitativement minoritaire. Cette répartition, indice de la centralisation française, évolue du fait de l'approfondissement de la décentralisation depuis 2002.

▶▶ **Par ailleurs, la fonction publique française est organisée selon le système des carrières** à la différence notamment des États-Unis et de son système des emplois.
Dans le système des carrières, un fonctionnaire entre dans un corps de fonctionnaires (ensemble d'agents soumis au même statut particulier, ex : préfets, professeurs agrégés) et y fait sa carrière. Ce système prévaut en Europe occidentale, mais des variantes sont possibles. Ainsi, en Grande-Bretagne, on constate, comme en France, une très grande continuité à certains postes stratégiques (ex : le Secrétaire général du gouvernement britannique a servi successivement M. Major, M. Blair et M. Brown). Toutefois, un fonctionnaire qui se présente à une élection doit démissionner.

Les différences avec les États-Unis et le système des emplois (aussi appelé *spoil system* ou système des dépouilles) sont plus marquées. D'abord, les fonctionnaires passent d'un emploi à un autre et n'ont pas forcément vocation à faire carrière dans l'administration (les va-et-vient avec le secteur privé sont fréquents). Ensuite, dans le *spoil system*, le parti remportant les élections choisit « ses » fonctionnaires : plusieurs milliers d'emplois changent alors de titulaires. Néanmoins, depuis 1883, les États-Unis ont développé le *merit system*, afin de parvenir à une professionnalisation de ses fonctionnaires.
Enfin, **la comparaison avec le système italien est intéressante.** En 1993, le gouvernement italien a entamé un processus de « privatisation » de l'emploi public qui est aujourd'hui achevé. Les lois et les décrets qui définissaient le statut des personnels de l'administration ont été remplacés par des contrats de travail. Seuls les diplomates, les magistrats, les préfets, les militaires et les forces de police relèvent toujours du droit public. Cette réforme a reçu l'accord des agents, des usagers, mais aussi des syndicats.

Histoire de l'administration

L'administration française est le fruit d'une longue histoire dont les développements expliquent, au moins en partie, son organisation actuelle, certaines de ses forces et de ses faiblesses.

De l'Ancien Régime à la période napoléonienne

Sous l'Ancien Régime, le souverain est assisté pour administrer le royaume d'un **Conseil du roi**, héritier de la *curia regis* médiévale. Il comporte plusieurs formations spécialisées dont l'organisation se précise à la mi-XVIIe siècle (Conseils d'en-haut, des dépêches, royal des finances, d'État privé). Seul le roi peut en choisir les membres dont le nombre varie selon les époques (10 à 20 sous François Ier, 33 en 1673, 38 en 1787).
Il n'existe pas alors de ministères au sens où nous l'entendons aujourd'hui. Toutefois, une certaine spécialisation apparaît : à partir du début du XVIe siècle, le roi prend l'habitude de confier à quatre **secrétaires d'État** le soin d'expédier les affaires courantes. La répartition par domaines se précise progressivement et se fixe à partir de Colbert entre un secrétaire d'État à la Guerre, un à la Marine, un aux Affaires étrangères et un à la Maison du Roi (équivalent de notre actuel ministère de l'Intérieur).
Parallèlement, l'organisation des finances est réformée dans le sens d'une centralisation. Ainsi, Henri II confie la responsabilité des affaires financières à une seule personne, qui prend le titre de Surintendant des finances à partir de

1561. Cette fonction prend toute sa dimension sous le mandat de Sully à partir de 1598. En 1661, Louis XIV supprime cette fonction et la remplace en 1665 par un **Contrôleur général des Finances**, confié à Colbert qui étend considérablement ses compétences, au point de s'imposer sur la plus grande partie des administrations centrales.
Sur le plan territorial, si certaines communes jouissent de chartes, octroyées par le monarque, qui les laisse libres de leur administration, le poids de l'État central se fait, à partir du XVIIe siècle, de plus en plus lourd. Ceci est notamment le fait des **Intendants**, véritables administrateurs, qui disposent des pouvoirs de justice, police et finances dans le cadre de leur circonscription appelée « généralité ». Ils assurent donc notamment le respect du droit royal sur l'ensemble du territoire par la surveillance des tribunaux, à l'exclusion des parlements des provinces.

Sous la Révolution, les administrations centrales prennent officiellement le nom de « **ministères** » (ex : l'office de Chancelier est supprimé et le ministère de la Justice est mis en place). On crée un ministère de l'Intérieur. Après une période de grande méfiance à l'égard du pouvoir exécutif, ce dernier fait l'objet d'un renforcement sous le Directoire (1795), ce qui place l'administration au cœur du pouvoir.
Le découpage du territoire est revu : en 1790, le pays est divisé en 83 départements, eux-mêmes divisés en districts, les districts en cantons, et enfin les cantons en communes. Ces circonscriptions ont, dans leur conception, perduré jusqu'à aujourd'hui (les districts, supprimés en 1795, laissant place à des arrondissements).

À l'époque napoléonienne, le rôle central est joué par le Premier Consul ou l'Empereur. Le **Conseil d'État**, institué par la Constitution du 22 frimaire an VIII (13 décembre 1799), aux séances duquel Napoléon participe activement, prépare les projets de lois et les règlements d'administration publique. Par ailleurs, l'Empereur organise régulièrement des « conseils d'administrations », réunissant autour de lui ministres et hauts fonctionnaires sur un problème particulier. Les ministres, qui sont souvent des techniciens, n'ont d'autre pouvoir politique que celui que leur accorde le chef de l'État. Mais ils jouent un rôle non négligeable en matière administrative. **Le nombre des ministères évolue** : un ministère du Trésor se détache du ministère des Finances (1801), un ministère de l'Administration de la guerre vient s'ajouter au ministère de la Guerre (1802) ; un ministère des Manufactures et du Commerce est créé (1811) par la division du ministère de l'Intérieur.
La **loi du 28 pluviôse an VIII** (17 février 1800) reprend la structure territoriale établie par les révolutionnaires, mais modifie en revanche les organes de chacun des niveaux d'administration. Désormais, ne demeurent qu'un conseil et un organe exécutif constitué d'une seule personne. Dans le département est institué un conseil général, dont les décisions sont mises en œuvre par le préfet, lui-même nommé par le Premier Consul. Dans l'arrondissement, les décisions du conseil d'arrondissement sont exécutées par le sous-préfet.

Du XIXe siècle à la Seconde Guerre mondiale

L'administration centrale

De la Restauration au Second Empire, le nombre de ministères n'augmente pas énormément, mais certains sont créés à partir des compétences dévolues

à l'origine au ministère de l'Intérieur. En revanche, les contrôles sur l'activité administrative se développent (ex : naissance de l'Inspection générale des Finances en 1816).
Les structures centrales ne connaissent aucun bouleversement profond avec l'instauration de **la IIIe République**. Il faut néanmoins mentionner la création en 1906 d'un ministère du Travail après la victoire électorale du Bloc des gauches. Par ailleurs, certains ministères jouent un rôle de premier plan, à l'image du ministère de l'Instruction publique. Enfin, en dépit de l'instabilité gouvernementale, les administrations jouissent d'une certaine stabilité, grâce au maintien de plusieurs ministres (ex : Théophile Delcassé au ministère des Affaires étrangères de 1898 à 1905, artisan de l'Entente cordiale avec la Grande-Bretagne).

L'administration locale

La Monarchie de Juillet constitue un moment fort de la décentralisation. La loi du 21 mars 1831 rétablit l'élection au suffrage censitaire des conseils municipaux, principe étendu aux conseils généraux par la loi du 22 juin 1833. La loi de 1831 prévoit par ailleurs que les maires continuent d'être nommés, mais ils doivent être choisis au sein du conseil municipal.
Le Second Empire a dans un premier temps **restreint les libertés locales**. Ce régime a favorisé une large déconcentration au profit des préfets (décrets des 25 mars 1852 et 13 avril 1861).
Sous la IIIe République, deux lois importantes sont votées : la loi départementale du 10 août 1871, qui notamment donne au département le statut de collectivité territoriale, et la grande loi municipale du 5 avril 1884. Toutes deux augmentent sensiblement le pouvoir de décision des conseils généraux et municipaux. Par ailleurs, une loi du 28 mars 1882 établit l'élection des maires. Par la suite, les réformes mises en place ont pour but de renforcer la place de l'État sur le plan territorial (notamment, décrets-lois du 5 novembre 1926).

Le rôle des deux guerres mondiales

La Première Guerre mondiale a provoqué des changements importants dans l'organisation administrative de la France. Le conflit conduit l'administration à exercer une plus grande emprise sur la vie économique, notamment à travers le ministère du Commerce. L'organisation des ministères est modifiée : à partir de 1915, le Ravitaillement fait l'objet d'un sous-secrétariat d'État, ou d'un ministère et les Régions libérées d'un ministère entre 1917 et 1920.

L'entre-deux-guerres voit se développer un mouvement intellectuel dit de « **réforme de l'État** », qui s'interroge beaucoup sur l'organisation administrative française.

Quant au **régime de Vichy**, il doit gérer la pénurie. Le régime est à la fois **régionaliste et centralisateur** : d'un côté, la volonté régionaliste du Maréchal Pétain de réorganiser le pays en « *provinces* » ; de l'autre, des régions à la tête desquelles sont placés des préfets régionaux (loi du 19 avril 1941).

Depuis la Seconde Guerre mondiale

S'agissant de la **modernisation de l'administration**, la reconstruction d'après-guerre est l'occasion de mettre en place de nouvelles structures : création par

le décret du 3 janvier 1946 du Commissariat général du Plan (devenu Centre d'analyse stratégique par le décret du 6 mars 2006). Plus tard, la Délégation à l'aménagement du territoire et à l'action régionale (DATAR) est également mise en place par le décret du 14 février 1963, pour préparer et coordonner les politiques d'aménagement du territoire menées par l'État (elle a été remplacée par la Délégation interministérielle à l'aménagement et à la compétitivité des territoires-DIACT par le décret du 31 décembre 2005).
Autre évolution de taille : **le renforcement des droits des usagers de l'administration**. De nombreux organismes, qualifiés d'autorités administratives indépendantes à partir des années 1970, ont concouru à cet objectif : Commission nationale de l'informatique et des libertés (CNIL) créée par la loi du 6 janvier 1978, Commission d'accès aux documents administratifs (CADA) créée par la loi du 17 juillet 1978, entre autres.

Sur le plan de l'administration territoriale décentralisée, le premier élément à noter est la **consécration par la Constitution du 27 octobre 1946 des collectivités territoriales** (titre X). Puis, après l'échec du référendum du 27 avril 1969 qui proposait la mise en place de régions, la **loi du 5 juillet 1972 institue 22 régions**, mais ce sont des **établissements publics** et non des collectivités territoriales. Enfin, le moment le plus marquant demeure cependant le mouvement de décentralisation engagé à partir de 1982. **La loi du 2 mars 1982** supprime, ou plutôt allège, la tutelle administrative sur les collectivités territoriales : le préfet n'exerce plus de contrôle *a priori* et sur l'opportunité des actes des collectivités, mais *a posteriori* et seulement sur la légalité de ces actes dont seuls les tribunaux administratifs peuvent prononcer l'annulation. Cette loi transforme également la région en collectivité territoriale. Enfin, le préfet n'est plus l'autorité exécutive du département : il est remplacé par le président du conseil général, la région et le président du conseil régional bénéficie du même traitement. Une étape supplémentaire dans la décentralisation a été franchie avec la **révision constitutionnelle du 28 mars 2003**, qui a établi l'organisation décentralisée de la République (art. 1), posé le principe de l'autonomie financière des collectivités (art. 72-2), proclamé le droit à l'expérimentation pour les collectivités (art. 72), institué le référendum décisionnel local (art. 72-1), créé une nouvelle catégorie de collectivité, les collectivités d'outre-mer (art. 72) et supprimé les territoires d'outre-mer (TOM). La loi du 13 août 2004 l'a complétée en accordant de nouveaux transferts de compétences aux collectivités.
Enfin, il faut noter le développement de l'intercommunalité, la dernière loi ayant tenté de la rationaliser datant du 12 juillet 1999.

Mais, face à ces avancées de la décentralisation, il a paru essentiel de **renforcer la déconcentration** au sein de l'administration étatique. Tout d'abord, les décrets du 14 mars 1964 ont renforcé le rôle de **coordination des services extérieurs de l'État dévolu aux préfets**.
Puis, après les avancées des années 1980, la loi du 6 février 1992 relative à l'administration territoriale de la République, et surtout le décret du 1er juillet 1992 portant charte de la déconcentration, ont accentué le mouvement de déconcentration. Enfin, après la réforme de 2003, le décret du 29 avril 2004 a encore affermi les pouvoirs des préfets de département et de région.

CHAPITRE 2

L'ADMINISTRATION D'ÉTAT

Quels sont les rôles respectifs du président de la République et du Premier ministre ?

La Constitution de 1958 organise un partage des pouvoirs administratifs entre le président de la République et le Premier ministre qui sont, avec les ministres, les autorités de l'administration d'État.

▶▶ **Le rôle essentiel revient au Premier ministre** en tant que chef du gouvernement : «*Il* (le gouvernement) *dispose de l'administration*» (art. 20). L'administration lui est donc subordonnée et tenue d'exécuter les décisions gouvernementales. Le Premier ministre nomme aux emplois civils et militaires et exerce le pouvoir réglementaire, sous réserve des privilèges accordés au chef de l'État dans ces domaines (art. 13).

▶▶ En effet, **le président de la République dispose aussi de compétences administratives.** Les textes, et la pratique, lui ont reconnu un pouvoir réglementaire, puisque chaque ordonnance ou décret délibéré en Conseil des ministres doit porter sa signature. Lors de la première cohabitation (1986-1988), s'est posée la question d'un droit de veto dont disposerait le président en refusant de signer ces textes, à l'exemple de François Mitterrand. En effet, le Conseil des ministres ne peut l'y contraindre.

Par ailleurs, la Constitution lui réserve des prérogatives en matière de nomination. Le chef de l'État nomme à certains «emplois civils et militaires de l'État» précisés par l'article 13 de la Constitution et par une loi organique (ex : conseillers d'État, conseillers maîtres à la Cour des comptes, ambassadeurs, recteurs d'académie, préfets). Cependant, ce n'est pas un pouvoir propre au chef de l'État, car le Premier ministre doit apposer lui aussi sa signature sur ces actes de nomination.

▶▶ Le **Comité sur la modernisation et le rééquilibrage des institutions de la Vᵉ République**, présidé par Édouard Balladur, dont les conclusions ont été rendues à l'automne 2007, envisage la modification de l'article 20 de la Constitution en faveur du président et la soumission de ses pouvoirs de nomination au contrôle du Parlement. Mais, le président Nicolas Sarkozy a depuis renoncé à modifier l'article 20.

Que sont l'administration centrale et les services déconcentrés ?

L'administration centrale rassemble les services de chaque ministère à compétence nationale, principalement situés à Paris. Les services déconcentrés ont une compétence territoriale et assurent le relais au niveau local des décisions prises par l'administration centrale.

▶▶ **Les administrations centrales des ministères** «*assurent au niveau national un rôle de conception, d'animation, d'orientation, d'évaluation et de contrôle*». Pour cela, elles «*participent à l'élaboration des projets de loi et de décret et préparent et mettent en œuvre les décisions du gouvernement et de chacun des ministres*» (décret du 1ᵉʳ juillet 1992).

▶▶ L'État dispose également de services présents sur le plan territorial : **les services déconcentrés. Ils mettent en œuvre les politiques conçues au niveau central** et regroupent plus de 95 % des agents de l'État. Ils ne doivent pas être confondus avec les services des collectivités territoriales, qui sont eux décentralisés, et dont les agents appartiennent à la fonction publique territoriale et non à celle de l'État.
La loi du 6 février 1992 relative à l'administration territoriale de la République et le décret du 1ᵉʳ juillet 1992 portant charte de la déconcentration chargent les services déconcentrés de la mise en œuvre des politiques communautaire et nationale sur le plan territorial.
Tous les ministères disposent de services déconcentrés, principalement au niveau du département. Enfin, la majorité des services déconcentrés sont **placés sous la direction du préfet**, même si certains (éducation nationale, justice, services fiscaux) échappent à sa gouverne.

L'administration dans les grands pays occidentaux

La conception de l'administration dans les grands pays occidentaux n'est pas la même. Ainsi, selon les pays, deux éléments importants peuvent varier : l'organisation générale de l'administration et la carrière des fonctionnaires travaillant en son sein.

L'organisation de l'administration

Dans l'ensemble des pays occidentaux : l'organisation générale de l'administration est très complexe. En principe, les administrations centrales sont placées sous l'autorité d'un ministre et organisées en ministères, sauf aux États-Unis où le nombre restreint de ministres (15 sous la présidence Bush 2005-2009) a favorisé le développement d'agences et d'autorités diverses.

En réalité, la **principale différence** entre les modèles nationaux réside dans les **rapports entre l'administration centrale et les administrations périphériques**. De ce point de vue, la **France se présente comme un modèle hiérarchique** : les administrations centrales commandent aux administrations déconcentrées, qui exécutent les décisions prises au niveau central. Cette organisation hiérarchique n'exclut pas l'existence d'administrations décentralisées – celles des collectivités territoriales : communes, départements, régions, collectivités d'outre-mer ou à statut particulier – qui ne sont pas soumises à la direction des administrations centrales mais relèvent du pouvoir politique décentralisé (ex : maire, président de conseil général ou régional). Ce **modèle a été adopté, avec certaines variantes, par la Belgique et l'Italie** : il s'agit d'un héritage des invasions napoléoniennes. D'autres pays ont choisi un **modèle décentralisé. C'est le cas de la Grande-Bretagne et de l'Allemagne.** En **Grande-Bretagne**, le gouvernement confie l'administration des politiques centrales aux autorités périphériques décentralisées (*counties, districts*). Toutefois, pour éviter une trop grande diversité dans la mise en œuvre des politiques publiques selon les administrations du territoire, le gouvernement britannique a de plus en plus tendance à réduire la marge de manœuvre des autorités administratives locales. En **Allemagne**, la Loi fondamentale de 1949 prévoit que les *Länder* sont chargés de mettre en œuvre la législation fédérale de la manière la plus appropriée. Dans cette optique, le gouvernement fédéral allemand (plus concrètement, son administration) doit procéder par compromis et négociations afin de parvenir à une mise en œuvre harmonisée des politiques publiques. Enfin, aux **États-Unis**, le gouvernement fédéral et les États sont responsables, chacun pour ce qui les concerne, de l'administration de leurs compétences respectives. Certes, les initiatives du gouvernement fédéral ont fortement augmenté dans la seconde moitié du XXe siècle, mais il n'en demeure pas moins que l'essentiel des compétences administratives revient aux autorités locales. D'ailleurs plus de 80 % des fonctionnaires américains travaillent dans les États fédérés, les comtés ou les villes.

La carrière des fonctionnaires

S'agissant de la carrière des fonctionnaires, deux systèmes se sont développés, chacun d'eux pouvant comporter des variantes selon pays.

Le **système dit de la carrière** est le plus répandu. En France, les fonctionnaires ont vocation à faire toute leur carrière au sein de leur administration, leur progression s'effectuant selon le principe de l'ancienneté. Cela n'exclut pas, pour autant, les promotions au choix, notamment parmi les hauts fonctionnaires, les réductions d'ancienneté permettant aux agents méritants de progresser plus rapidement, ou des mouvements vers d'autres administrations. Ce système connaît quelques adaptations en Angleterre. Le *Civil service* y est très fortement protégé de l'arbitraire politique et, parallèlement, ce système cherche à éviter la fuite des fonctionnaires les plus talentueux vers le monde politique. Ainsi, contrairement à la France, un fonctionnaire souhaitant se lancer dans la vie politique doit démissionner avant même la tenue de l'élection à laquelle il se présente. Le fonctionnement du système de la carrière est également proche en Allemagne.

La question est envisagée différemment aux États-Unis. Pendant très longtemps, le système en vigueur était le *spoil system* (ou **système des dépouilles**, expression encore utilisée pour désigner le système américain). Lorsqu'une administration nouvelle s'installait après une élection, la plupart des fonctionnaires étaient renvoyés et l'on nommait à leur place des administrateurs fidèles au nouveau pouvoir. Cette pratique était contre-productive : les fonctionnaires, ne disposant d'aucune protection efficace dans leur emploi, étaient démotivés dans leur activité et le remplacement des anciens fonctionnaires par des amis politiques ne fournissait aucune assurance du point de vue de leur compétence professionnelle. À partir de 1883 s'est mis en place le *merit system* (**système du mérite**), qui protège mieux les fonctionnaires dans le déroulement de leur carrière et dans lequel la compétence professionnelle devient le critère essentiel. Toutefois, pour les postes les plus élevés de la hiérarchie administrative, la pratique ancienne demeure : lorsqu'une nouvelle administration se met en place, de très nombreux postes de responsabilité (plusieurs milliers) changent de titulaires, le pouvoir politique souhaitant s'assurer de l'unité d'action des différentes administrations.

L'administration centrale

Comment s'organise l'administration centrale ?

▸▸ L'administration centrale est constituée par **l'ensemble des services d'un ministère disposant de compétences nationales**. Ils se trouvent généralement à Paris, à l'exception de certains d'entre eux (ex : le service des pensions de la Défense situé à La Rochelle). Ces services ont une mission d'impulsion des politiques du ministère. Ils sont chargés, en liaison avec le cabinet, de la mise en œuvre des directives du gouvernement, de la préparation des projets de loi ou de décrets et des décisions ministérielles. Ces services sont composés de fonctionnaires et constituent des structures permanentes. Le personnel administratif ne change pas avec le ministre.

L'administration centrale est organisée selon plusieurs niveaux :

– Les **directions** (parfois directions générales) : elles peuvent être thématiques et correspondre alors à un domaine d'activité du ministère, comme la direction de l'Eau au ministère de l'Environnement, ou fonctionnelles et alors transversales, comme les directions des Ressources humaines. Elles sont dirigées par des directeurs nommés en Conseil des ministres par le président de la République, qui n'est pas obligé de suivre les propositions du gouvernement. L'organisation du ministère en directions ne peut être modifiée que par un décret du Premier ministre contresigné par le ministre concerné.

– Chaque **direction comporte des subdivisions** dont l'appellation varie selon les ministères. Il peut s'agir de sous-directions, de services ou encore de divisions. À leur tête, les sous-directeurs, les chefs de services ou de divisions sont nommés en vertu de règles statutaires.

– L'unité de base au sein des différents ministères est le **bureau** dirigé par un chef de bureau.

Qu'est-ce qu'un ministère ?

Le terme « ministère » désigne **l'ensemble des services de l'État placés sous la responsabilité d'un ministre et s'occupant d'un ou plusieurs domaines**. Ces services sont répartis entre une administration centrale, le plus souvent localisée à Paris, et des services déconcentrés en province. Les décrets d'attribution pris après la formation du gouvernement par le Premier ministre déterminent les domaines d'intervention de chaque ministère. Il dispose, pour son fonctionnement, de crédits qui lui sont attribués chaque année par la loi de finances.

▶▶ **Chaque ministère est dirigé par un ministre.** Il dispose d'un pouvoir hiérarchique à l'égard de ses services et leur indique ses instructions par des notes, directives ou circulaires. Il n'a pas de pouvoir réglementaire, sauf en tant que chef de service pour organiser son département, ou lorsqu'il doit contresigner des actes du chef de l'État et du Premier ministre dont il doit assurer l'exécution.

▶▶ **Le nombre de ministères n'est pas déterminé par la Constitution ou la loi**. Il résulte du décret présidentiel nommant les membres du gouvernement. Leur nombre peut varier en fonction de critères politiques (un ministre peut être chargé à la fois de l'Économie et du Budget ou seulement du Budget) ou selon les priorités du gouvernement. Ainsi, la création d'un ministère ou secrétariat d'État aux Droits des femmes ou à la Mer peut mettre en valeur ces objectifs du gouvernement. Seuls les ministères dits «régaliens» ne subissent pas de modifications (Justice, Défense, Affaires étrangères...).

À quoi sert un cabinet ministériel ?

▶▶ Le cabinet ministériel est un organisme restreint, formé de collaborateurs personnels choisis par le ministre, ayant pour **mission de le conseiller et de l'assister dans la réalisation de l'ensemble de ses missions**.

▶▶ Son existence s'explique par la nécessité pour un ministre de **pouvoir compter sur une équipe dévouée et proche de lui sur le plan politique**, puisqu'il ne peut choisir les membres de son administration. En effet, la France ne pratique pas, à la différence des États-Unis, le système dit des dépouilles permettant de renvoyer un nombre important de fonctionnaires et de les remplacer par d'autres, politiquement plus proches.

À la différence de l'administration centrale, le cabinet n'est donc pas un organisme permanent. Son existence prend fin avec les fonctions du ministre.

▸▸ Au fil du temps, le cabinet a pris une **importance grandissante dans le fonctionnement politique et administratif du gouvernement**. Il n'est pas rare qu'un membre du cabinet assiste, en lieu et place du ministre, à des réunions interministérielles dont le but est d'arrêter des décisions gouvernementales. De même, les membres du cabinet sont de plus en plus les interlocuteurs privilégiés des services de l'administration centrale au détriment des directeurs d'administration centrale auxquels incombaient traditionnellement cette fonction.

Comment est composé un cabinet ministériel ?

▸▸ **Il n'existe pas de règle juridique** définissant une organisation particulière des cabinets ministériels. Les ministres en choisissent librement les membres, qui peuvent appartenir au secteur privé ou à l'administration.
Néanmoins, dans la majorité des cas, ce sont de hauts fonctionnaires, anciens élèves de l'École nationale d'administration ou de l'École Polytechnique.

▸▸ **L'organisation interne distingue en général** :
- un directeur de cabinet, qui organise le travail des autres membres du cabinet ;
- un chef de cabinet chargé à la fois de l'agenda du ministre et souvent également des questions politiques liées à la circonscription électorale du ministre ;
- les autres membres ont des titres variés, comme conseillers ou chargés de mission, et sont responsables d'un domaine précis relevant du ministère.

▸▸ En ce qui concerne l'importance des cabinets ministériels, de **nombreuses directives ou circulaires ont tenté d'imposer une réduction de leurs effectifs sans y parvenir**. Parfois, le nombre prévu par les textes est officiellement respecté, mais viennent s'ajouter à ces membres officiels des « officieux », intervenant auprès du ministre sans pour autant faire partie de l'organigramme du cabinet.
En 1997, le Premier ministre avait demandé aux ministres de limiter le nombre des membres de leur cabinet à sept.

Administration et politique

Les rapports entre politique et administration sont aujourd'hui complexes. Toutefois, force est de constater qu'ils l'ont en réalité toujours été. Ainsi, sous la Monarchie de Juillet, il était devenu courant, afin de s'attirer les bonnes grâces du Parlement, d'en nommer les membres fonctionnaires. On imagine aisément quel pouvait être le degré d'indépendance de ces parlementaires, qui vivaient de leur traitement d'agent public, rétribués directement par le gouvernement.

Aujourd'hui, de telles pratiques ne sont plus possibles, mais d'autres problèmes se posent. Tout d'abord, celui du degré d'indépendance ou, au contraire, de subordination, qui existe entre l'administration et le pouvoir politique. Ensuite, depuis les débuts de la Ve République, se pose la question de la place des fonctionnaires en politique et, de manière corrélative, de la relative politisation de l'administration.

Depuis la Ve République, les hauts fonctionnaires deviennent des politiques...

La Ve République a marqué une évolution dans le recrutement parlementaire. Sous les IIIe et IVe Républiques, les parlementaires n'étaient principalement pas issus des rangs des hauts fonctionnaires. La majorité des élus nationaux étaient alors soit des avocats, soit des professeurs. Au contraire, à partir de la Ve République, de plus en plus de hauts fonctionnaires sont entrés en politique et ont occupé des sièges de parlementaires, avant d'exercer les plus hautes fonctions de l'État (ex : MM. Chirac, Jospin, Balladur ou Fabius). **Cette évolution est liée à la création** (dès 1946) de **l'École nationale d'administration**, qui forme des hommes compétents et généralistes, disposant de qualités leur permettant d'exercer des fonctions politiques. **Cette « passerelle » entre administration et monde politique est facilitée par plusieurs éléments du statut général** de la fonction publique. Ainsi, les fonctionnaires s'engageant en politique sont mis dans une position dite de détachement, qui leur permet, à la fin de leur mandat, de retrouver leur emploi dans l'administration.

Ce passage de hauts fonctionnaires vers le monde politique semble avoir mis à mal, au moins en partie, la tradition de neutralité politique de la haute fonction publique. Il existe là une différence essentielle avec la fonction publique anglaise. En effet, cette dernière a maintenu ce principe de stricte neutralité politique du *Civil service*. C'est ainsi que tout fonctionnaire qui décide de se présenter aux élections doit démissionner, non pas une fois l'élection acquise, mais dès lors qu'il fait acte de candidature. La prise de risque est à l'évidence plus grande que dans le système français.

... et la fonction publique se politise.

Dans le même temps, on a pu constater, depuis les débuts de la Ve République, une forme de politisation de la fonction publique.

Tout d'abord, **certaines nominations font intervenir des considérations politiques**. Tel est le cas notamment pour les préfets, les ambassadeurs, les directeurs d'administration centrale... En effet, le pouvoir politique doit pouvoir compter sur une loyauté sans faille des titulaires de ces emplois publics, afin qu'ils appliquent, sans aucune réserve, la politique mise en œuvre par le gouvernement. À ces nominations s'ajoutent celles d'amis politiques dans les grands corps « au tour extérieur », c'est-à-dire discrétionnairement par le gouvernement. Ce type de nomination a donné naissance à des formules polémiques : « État RPR », « État PS »... La situation est particulièrement délicate en cas de cohabitation, chaque nomination à un emploi supérieur de l'administration devenant un enjeu politique majeur.

Par ailleurs, **la création des institutions représentatives du personnel et la place donnée aux syndicats dans ces institutions** a, de façon moins visible, accru la politisation de la fonction publique. Ainsi, en vertu du statut général de la fonction publique de 1983, les représentants du personnel aux comités techniques paritaires sont désignés par les organisations syndicales les plus représentatives. Cette place faite aux syndicats, qui a l'avantage pour le gouvernement de disposer d'interlocuteurs clairement déterminés, leur donne dans le même temps une tribune politique importante (comme on a pu le constater en novembre et décembre 1995).

Enfin, la politisation de l'administration a été également sensible au niveau des collectivités territoriales. C'est d'ailleurs la raison pour laquelle il a été décidé, en 1984, de mettre en place une fonction publique territoriale, selon des principes inspirés de la fonction publique d'État.

Les services déconcentrés

Comment s'organisent les services déconcentrés ?

▶▶ Les services déconcentrés de l'État sont les **services qui assurent le relais, sur le plan local, des décisions prises par l'administration centrale et qui gèrent les services de l'État au niveau local.**
L'expression « service déconcentré » est apparue dans la loi du 6 février 1992 sur l'administration territoriale de la République. Auparavant, on parlait de « services extérieurs ». Mais, cette expression parut malheureuse au moment où la loi souhaitait renforcer le rôle de ces services en soulignant leur importance, pour les citoyens, en tant que lien privilégié avec les ministères.

▶▶ **La plupart des ministères ont des services déconcentrés répartis entre plusieurs niveaux géographiques**.

Ainsi, au ministère du Travail, il existe une direction départementale et une direction régionale du Travail, de l'Emploi et de la Formation professionnelle.

▶▶ Les services déconcentrés sont généralement **sous l'autorité d'un préfet.** Les directions départementales sont dirigées par le préfet de département. Les directions régionales sont sous la direction du préfet de région, qui est le préfet du département dans lequel se situe le chef-lieu de la région.

Qui dirige au niveau local ces services déconcentrés ?

▶▶ **Le corps des préfets dirige les services déconcentrés**. Ainsi le préfet de région, qui est le préfet du département où se trouve le chef-lieu de la région, représente l'État à l'échelon régional, le préfet de département à l'échelon départemental et le sous-préfet à l'échelle de l'arrondissement.

Cependant, cette règle n'est pas valable pour certains services dont les particularités justifient l'existence d'une direction propre rattachée au ministère concerné. C'est le cas des services déconcentrés du ministère de la Défense ou de ceux de l'Éducation nationale (académies) dirigés par les recteurs.

▶▶ **Les préfets et sous-préfets sont sous l'autorité directe du ministre de l'Intérieur** et sont les représentants personnels de chacun des ministres. Ils sont nommés par décrets du président de la République et sont astreints à une stricte loyauté à l'égard du gouvernement. En tant que représentant du gouvernement, ils doivent mettre en œuvre ses décisions en s'appuyant sur les services déconcentrés de chacun des ministères.

Ils dirigent également de nombreuses réunions destinées à organiser des actions interministérielles nécessitant la participation de plusieurs services déconcentrés, aussi bien en période normale (ex : politiques de sécurité), qu'en période exceptionnelle (ex : les tempêtes de décembre 1999, la canicule de l'été 2003).

▶▶ Néanmoins, cette **position hiérarchique des préfets est toujours quelque peu contestée**. En effet, les moyens de communication modernes permettent aux services déconcentrés de prendre l'avis de leur administration centrale plutôt que d'attendre les directives du préfet.

Dans quelles circonscriptions administratives s'insèrent-ils ?

Il existe des circonscriptions de droit commun et des circonscriptions spéciales.

▸▸ **Les circonscriptions de droit commun sont au nombre de trois : la circonscription régionale, départementale et d'arrondissement.**
Les ministères ne disposent pas obligatoirement de services à chacun de ces échelons. Si le corps préfectoral, responsable des services déconcentrés, dispose d'un représentant dans chaque circonscription (préfet de région, de département, sous-préfet implanté dans l'arrondissement), pour certains ministères, les services déconcentrés n'existent qu'à un seul niveau (ex : le secrétariat d'État chargé du Commerce extérieur n'a que des directions régionales).
Par ailleurs, il convient de rappeler que les départements et les régions sont également le cadre de collectivités territoriales.

▸▸ À côté de ces circonscriptions de droit commun, **on compte également des circonscriptions spéciales.** Elles sont souvent le résultat de l'histoire et, plutôt que de bouleverser des habitudes acquises permettant un bon fonctionnement des administrations concernées, il a été décidé de les maintenir.
Ces circonscriptions sont soit :
– interdépartementales, sans être régionales, comme par exemple les académies de l'Éducation nationale. Certaines sont des subdivisions de la région qui ne correspondent pas à un département. Ainsi la région Île-de-France comporte trois académies : Paris, Créteil et Versailles;
– infradépartementales, sans correspondre aux arrondissements, comme par exemple la commune, le canton ou le pays.
La loi du 6 février 1992 confirme l'existence de ces circonscriptions spéciales. Cependant, elles doivent nécessairement faire l'objet d'une loi ou d'un décret en Conseil d'État afin d'éviter leur multiplication.

Les pouvoirs du préfet et leurs évolutions

Si le préfet constitue aujourd'hui une institution administrative ancienne de la France (loi du 28 pluviôse an VIII, soit 17 février 1800), il n'en reste pas moins que le cadre dans lequel il agit a beaucoup changé. Ses pouvoirs ont donc logiquement évolué avec cet environnement.

Avant la réforme de 1982

Avant que n'interviennent les lois Deferre de 1982-1983 qui ont fortement approfondi la décentralisation, les pouvoirs du préfet étaient essentiellement de deux ordres.

En tant que représentant de l'État, il était d'abord principalement chargé du **maintien de l'ordre public dans le cadre du département.** À ce titre, ses pouvoirs étaient – et sont encore – nombreux. Ainsi, il lui appartient de prendre les mesures relatives au bon ordre, à la sûreté et à la salubrité publiques. Par ailleurs, il assume des pouvoirs dans le cadre de polices spéciales s'appliquant à certaines personnes (ex : nomades), certaines activités (ex : la chasse) ou certains lieux (ex : polices des gares et des aéroports). En outre, si le maire fait preuve de manquement à son action de police administrative, le préfet peut se substituer à lui. Enfin, le préfet participe aux mesures de défense civile en cas de grave crise (catastrophe naturelle, accident technologique, paralysie du pays...).

L'autre prérogative du préfet était de détenir le **pouvoir exécutif du département en tant que collectivité territoriale.** Il y avait là une importante intervention de l'État dans les affaires des collectivités. Le conseil général délibérait librement sur les problèmes propres au département mais, dès qu'il prenait une décision, il revenait au préfet de la mettre en œuvre. Ce choix s'expliquait par l'expertise éminente du préfet en matière administrative, l'implantation de ses services, mais aussi par la volonté politique de surveiller les conseils généraux. Il y avait là un mélange des genres assez étrange qui pouvait poser problème, le préfet étant, avant tout, en charge des intérêts nationaux. C'est cet aspect des pouvoirs du préfet qui a fait l'objet de la plus grande évolution.

Depuis la réforme de 1982

La première évolution est la décision du gouvernement Mauroy (1981-1984) de **ne plus faire du préfet l'autorité exécutive du département.** Cette fonction est alors dévolue, par la loi du 2 mars 1982, au président du conseil général élu au sein de cette assemblée. La région, alors transformée en collectivité territoriale, bénéficie du même avantage : l'exécutif du conseil régional est confié à son

président et non au préfet de région. Par ailleurs, la loi du 2 mars 1982 allège la tutelle administrative du préfet sur les collectivités. Ainsi, le préfet n'exerce plus un contrôle *a priori* et sur l'opportunité de leurs actes, mais *a posteriori* et uniquement sur la légalité des actes des collectivités. Dans le cadre de ce **contrôle de légalité**, le préfet ne peut que déférer les actes concernés au tribunal administratif, qui peut seul en prononcer l'annulation.
Cependant, les compétences du préfet en matière de **maintien de l'ordre public** sont restées intactes. Ainsi, chaque jour, le préfet rencontre les responsables des services de sécurité (police, gendarmerie).

Suite aux progrès de la décentralisation, les **pouvoirs de direction des services déconcentrés du préfet ont été renforcés**. C'était d'ailleurs tout l'esprit des réformes de 1982 et 1983. À travers différents textes (décret du 10 mai 1982, loi du 6 février 1992, décret du 15 janvier 1997, décret du 20 octobre 1999), le préfet est devenu le chef incontesté des services déconcentrés de l'État, quelques exceptions, liées à l'histoire, demeurant cependant (académies de l'Éducation nationale, services fiscaux, juridictions...). Le dernier texte allant dans cette direction est le décret du 29 avril 2004 : il confirme la tendance tout en renforçant le poids du préfet de région, désormais chargé de l'animation et de la coordination des préfets de département.

L'adaptation des préfets au cadre européen doit être également soulignée. Les institutions communautaires, dans le cadre des politiques structurelles d'aide aux territoires défavorisés, considèrent que les collectivités territoriales sont les bonnes interlocutrices. Cependant, la France a fait le choix d'une gestion déconcentrée de ces fonds confiée aux préfets de région. Ainsi, ces derniers déterminent les orientations nécessaires à la mise en œuvre dans la région des politiques nationales et communautaires de sa compétence (décret 29 avril 2004). Cependant, la loi du 13 août 2004 relative aux libertés et responsabilités locales prévoit la possibilité d'accorder, à titre expérimental, la gestion de ces fonds aux régions : c'est le cas en Alsace. Enfin, le préfet doit prendre garde, dans le cadre de son contrôle de légalité, à ce que les collectivités territoriales respectent bien le droit communautaire. En effet, en cas de violation de ce dernier, c'est l'État et non la collectivité qui voit sa responsabilité engagée.

Enfin, la crise sociale que la France connaît depuis 25 ans a conduit les pouvoirs publics à placer **le préfet au cœur des politiques de solidarité**. Le discours du président Chirac, prononcé le 22 mai 1995 au lendemain de son élection devant l'ensemble des préfets, en a été une illustration frappante. Il y annonçait que les préfets seraient avant tout évalués sur leurs résultats en matière d'emploi. Et, de fait, de nombreuses mesures ont été confiées aux préfets.

Les autorités administratives indépendantes

Qu'est-ce qu'une autorité administrative indépendante ?

Une autorité administrative indépendante (AAI) est une institution de l'État, chargée, en son nom, d'assurer la régulation de secteurs considérés comme essentiels et pour lesquels le gouvernement veut éviter d'intervenir trop directement.
Les AAI sont une catégorie juridique nouvelle car, contrairement à la tradition administrative française, elles ne sont pas soumises à l'autorité hiérarchique d'un ministre. C'est dans la loi du 6 janvier 1978 créant la Commission nationale de l'informatique et des libertés (CNIL) que le terme est apparu pour la première fois.
Leur nombre varie selon les auteurs, en fonction des critères de définition retenus. Elles se répartissent entre deux catégories, celles chargées de la régulation des activités économiques et celles protégeant les droits des citoyens.

Les AAI présentent trois caractères, ce sont :
- **des autorités** : elles disposent d'un certain nombre de pouvoirs (recommandation, décision, réglementation, sanction);
- **administratives** : elles agissent au nom de l'État et certaines compétences dévolues à l'administration leur sont déléguées (ex : le pouvoir réglementaire);
- **indépendantes** : à la fois des secteurs contrôlés mais aussi des pouvoirs publics. Elles sont donc placées en dehors des structures administratives traditionnelles et ne sont pas soumises au pouvoir hiérarchique. Les pouvoirs publics ne peuvent pas leur adresser d'ordres, de consignes ou même de simples conseils et leurs membres ne sont pas révocables. Elles constituent donc une exception à l'article 20 de la Constitution selon lequel le gouvernement dispose de l'administration.

Quel est le rôle d'une AAI ?

▶▶ Le rôle d'une autorité administrative indépendante (AAI) est **d'assurer la régulation**, c'est-à-dire le fonctionnement harmonieux, **d'un secteur précis** dans lequel le gouvernement ne veut pas intervenir trop directement. Il s'agit le plus souvent d'un domaine sensible, soit en raison de ses conséquences politiques possibles (ex : l'audiovisuel), soit en raison de son impact économique (ex : télécommunications).

▶▶ Cette mission implique la **prise d'actes organisant le secteur**, soumettant les entreprises à des règles et les sanctionnant le cas échéant, mais aussi par la **prise en compte des demandes et des besoins des acteurs de ce secteur**.

C'est là une des particularités de ces autorités administratives indépendantes, qui, plus que l'administration « classique », doivent établir des relations de confiance avec les acteurs des domaines qu'elles ont la charge de réguler.

Dans certains pays, aux États-Unis notamment, ces organismes ont été accusés de « faire corps » avec le secteur concerné en omettant de le contrôler. De telles critiques ne sont pas d'actualité en France.

▶▶ Par ailleurs, **la notion d'AAI a tenté de répondre à trois besoins** :

– offrir à l'opinion une plus grande garantie d'impartialité des interventions de l'État ;

– permettre une participation plus importante de personnes d'origine et de compétences diverses, notamment des professionnels des secteurs contrôlés ;

– assurer une intervention de l'État rapide, adaptée à l'évolution des besoins et des marchés.

Quels sont ses pouvoirs ?

Les **compétences des autorités administratives indépendantes varient** de l'une à l'autre.

▶▶ Elles peuvent détenir un **pouvoir d'avis ou de recommandation**, consistant soit à conseiller aux opérateurs une pratique particulière (ex : Commission nationale de l'informatique et des libertés), soit à tenter de trouver un compromis entre l'administration et un administré (ex : le Médiateur de la République).

▸▸ Certaines ont un **pouvoir de décision individuelle**. Il peut s'agir de délivrer l'autorisation d'exercer une activité ou d'un pouvoir de nomination. Ainsi, le Conseil supérieur de l'audiovisuel (CSA) désigne les directeurs des chaînes de télévision publiques.

▸▸ Elles peuvent aussi détenir un **pouvoir de réglementation**, consistant à organiser un secteur d'activité en établissant des règles. Ce pouvoir réglementaire, qui appartient en principe au Premier ministre ou au président de la République, est ainsi reconnu de manière exceptionnelle, mais limitée, à un organe indépendant du gouvernement. En effet, ce n'est pas un pouvoir réglementaire autonome : il ne peut s'appliquer qu'à des mesures à portée limitée et dans le respect des lois et décrets.

▸▸ Enfin, les autorités administratives indépendantes peuvent disposer d'un **pouvoir de sanction**. Lorsqu'un des acteurs du secteur d'activité contrôlé ne respecte pas les règles posées par ces institutions ou les obligations qui lui incombe, les AAI peuvent le sanctionner. Ainsi, le Conseil de la concurrence ou l'Autorité des marchés financiers peuvent infliger des amendes importantes. Le CSA peut, par exemple, suspendre l'autorisation d'émettre d'une radio ne respectant pas ses obligations pendant une journée.

Quelles sont les différentes autorités administratives indépendantes ?

▸▸ Il n'est **pas facile de dresser une liste complète** des AAI car leur nombre varie selon les auteurs, tous n'étant pas d'accord sur l'étendue de cette catégorie juridique. Pour certains, des organes anciens, créés avant la définition de la notion d'autorité administrative indépendante en 1978, sont de véritables AAI (ex : Conseil supérieur de l'Agence France-Presse, créé en 1957). Le Conseil d'État dans son rapport 2001 sur les AAI en dénombre cependant 34 et le site public de diffusion du droit (legifrance.gouv.fr), 39 en

2007. Elles concernent particulièrement trois domaines : les droits des administrés, la régulation économique du marché, l'information et la communication.

▶▶ On peut en **citer quelques-unes, dans l'ordre chronologique de leur création, reconnues aujourd'hui comme des AAI** :
– le Médiateur de la République (créé en 1973 et qualifié d'AAI en 1989), qui tente de régler les différends entre les administrations et les administrés ;
– la Commission nationale de l'informatique et des libertés (1978), faisant respecter la vie privée des individus face au développement des techniques informatiques ;
– la Commission nationale d'accès aux documents administratifs (1978), qui permet aux administrés de contester le refus d'une administration de communiquer des documents administratifs ;
– le Conseil supérieur de l'audiovisuel (1989) qui régule ce secteur ;
– la Commission nationale de contrôle des interceptions de sécurité (1991), qui donne un avis sur les écoutes téléphoniques auxquelles envisagent de procéder les autorités gouvernementales ;
– la Commission nationale du débat public (créée en 1995, mais AAI depuis 2002) qui veille à la participation du public au processus d'élaboration de projets d'aménagement ou d'équipement importants ;
– la Haute autorité de lutte contre les discriminations et pour l'égalité (2004) ;
– l'Autorité des marchés financiers (2003), qui régule et veille au bon fonctionnement du marché financier français ;
– l'Agence d'évaluation de la recherche et de l'enseignement supérieur (2006) qui évalue les établissements d'enseignement et de recherche, les unités de recherche et les formations d'enseignement supérieur.

Comment s'organise une AAI ?

Il n'existe **pas de modèle d'organisation unique** des différentes autorités administratives indépendantes (AAI). On peut cependant distinguer quelques traits généraux.

▶▶ **Bien qu'« indépendantes », les AAI sont liées budgétairement à un ministère**. Leur budget est inscrit au budget général du ministère ayant la compétence la plus proche de leur domaine d'intervention (à l'exception de l'Autorité des marchés financiers qui dispose de l'autonomie financière).

▶▶ À l'exception du Médiateur de la République, du Médiateur du cinéma et du Défenseur des enfants, **les AAI sont des institutions collégiales**.
Elles sont dotées d'un président qui exerce l'autorité sur les services de l'AAI, fixe l'ordre du jour des débats et peut disposer de pouvoirs propres.
Leurs membres sont nommés selon des modalités assez variées (nomination par le pouvoir exécutif ou d'autres autorités, élection) dont l'objectif est d'éviter une emprise politique trop importante. La durée et les conditions d'exercice de leur mandat ne sont pas non plus uniformes.

▶▶ **L'importance des services des AAI est très hétérogène**. Il existe des services très peu étoffés, comme le Médiateur du cinéma, et d'autres plus nombreux, par exemple ceux de l'Autorité des marchés financiers ou du Conseil supérieur de l'audiovisuel.
Les personnels peuvent relever du droit privé et être recrutés par contrat en raison de leur spécialisation dans le domaine d'intervention de l'AAI, mais, **dans de nombreux cas, il s'agit de fonctionnaires détachés ou mis à disposition**. Ainsi, le Médiateur de la République est entouré de fonctionnaires, ce qui constitue un avantage certain, car ils connaissent parfaitement les administrations avec lesquelles les administrés sont en conflit. Leur intervention en est alors d'autant plus efficace.

Les autorités administratives indépendantes face aux autres institutions politiques et administratives

Les autorités administratives indépendantes (AAI) n'appartiennent pas à la hiérarchie de l'administration et disposent d'un pouvoir propre. Elles entretiennent cependant de nombreuses relations avec l'administration et les institutions politiques.

Les AAI et le pouvoir exécutif

Bien que théoriquement indépendantes, les AAI sont des structures administratives et, à ce titre, rattachées au pouvoir exécutif.

Dépourvues de budget propre – à l'exception de l'Autorité des marchés financiers (AMF) qui dispose de l'autonomie financière –, elles sont **dépendantes financièrement du Premier ministre ou d'un ministère** selon leur domaine de compétence (ex : le budget de la Commission nationale de l'informatique et des libertés (CNIL) est rattaché à la mission « Justice » et dépend du ministère de la Justice).

Elles n'ont pas non plus de personnalité morale – à l'exception, là encore, de l'AMF –, et c'est donc logiquement l'État qui endosse la responsabilité en cas de décision de justice défavorable. Toutefois, la dotation à l'AMF de la personnalité morale semble avoir marqué une évolution, puisqu'en 2004 la Haute autorité de la santé, créée par la loi du 13 août 2004, et la Commission de régulation de l'énergie, réformée sur ce point par la loi du 30 décembre 2004, ont également reçu cette personnalité morale et leur responsabilité peut être engagée.

Le gouvernement intervient également dans la **nomination des membres des autorités administratives indépendantes**. Très souvent, ceux-ci sont nommés par décret pris en Conseil des ministres. Tel est le cas du Médiateur de la République, du Défenseur des enfants et de tous les membres de la Commission des sondages. Quelques membres d'AAI sont nommés par un décret du Premier ministre : le Médiateur du Cinéma par exemple, ou bien des membres de la Commission d'accès aux documents administratifs (CADA). De façon à assurer une indépendance effective dans la poursuite de leurs missions, leur mandat est irrévocable.

En outre, il existe très souvent, auprès des autorités administratives indépendantes, un **commissaire du gouvernement** chargé de représenter le ministre (ex : à la Commission de la sécurité des consommateurs, à l'AMF) ou même le Premier ministre (ex : la CNIL). Les pouvoirs de ce commissaire du gouvernement ne sont pas identiques selon les AAI concernées. Devant le Conseil de la concurrence, il assiste aux débats et peut seulement prendre la parole afin de défendre la position du gouvernement sur tel ou tel dossier. Mais, devant d'autres AAI, il peut demander, dans un bref délai, une nouvelle délibération (ex : devant la Commission de la sécurité des consommateurs ou devant la CNIL).

Enfin, **l'homologation ministérielle** est généralement nécessaire pour les règlements pris par les autorités administratives indépendantes (ex : Autorité de régulation des communications électroniques et des postes, AMF).

Les AAI, le Parlement et le pouvoir judiciaire

En revanche, **les relations des AAI avec le Parlement sont assez limitées**, si l'on excepte le fait que le Médiateur de la République doit toujours être saisi par l'intermédiaire d'un parlementaire ou d'un délégué du Médiateur – en effet, un citoyen ne peut pas directement le saisir. Les pouvoirs exercés par les parlementaires sont réduits pour l'essentiel à la nomination de certains membres des autorités administratives indépendantes. C'est ainsi que quatre membres de la CNIL sont élus par les deux chambres en leur sein (deux députés et deux sénateurs). De même, six des neuf membres du Conseil supérieur de l'audiovisuel (CSA) sont nommés par le président de l'Assemblée nationale et le président du Sénat, qui en désignent trois chacun, les trois derniers membres étant désignés par le président de la République.

Quant aux relations avec le pouvoir judiciaire, elles sont celles de toute autorité administrative. Ainsi, les décisions prises par les autorités administratives indépendantes peuvent bien évidemment être déférées devant un juge, qui est généralement le juge administratif. Cependant, dans certains cas, comme dans le domaine de la régulation de l'économie de marché, il s'agit du juge judiciaire (ex : les décisions du Conseil de la concurrence et les sanctions infligées par l'AMF relèvent de la cour d'appel de Paris).

Les **AAI jouissent, quant à elles, de pouvoirs importants à l'égard de l'administration**, puisqu'une grande partie d'entre elles ont été justement créées dans le but d'exercer un contrôle sur certains domaines d'activité, contrôle qui s'applique notamment aux structures de l'État. Ainsi, des AAI disposent d'un pouvoir d'enquête auquel ne peuvent s'opposer les autres administrations centrales ou les collectivités territoriales. Le Médiateur de la République, par exemple, procède à des auditions qui concernent parfois des services de l'administration mis en cause par un administré.

Toutefois, les autorités administratives indépendantes doivent demeurer une formule réservée aux domaines où leur nécessité s'impose avec évidence. En effet, il peut exister une tendance à créer des AAI dès qu'un problème apparaît. Ainsi, en 1999, il a été envisagé de créer une AAI chargée de la sûreté nucléaire, qui aurait pu prendre des mesures de police. Le Conseil d'État s'est prononcé contre, en rappelant que ces mesures de police administrative devaient rester de la compétence du gouvernement.

CHAPITRE 3

L'ADMINISTRATION TERRITORIALE DÉCENTRALISÉE

Quelle est la différence entre la décentralisation et la déconcentration ?

▶▶ La **décentralisation** est un **transfert de compétences de l'État à des institutions distinctes de lui**, ici, les collectivités territoriales. La **déconcentration** consiste, quant à elle, également en une **délégation de compétences, mais à des agents ou organismes locaux appartenant à l'administration d'État**. À la différence des collectivités territoriales, ils sont soumis à l'autorité de l'État et ne disposent d'aucune autonomie.

▶▶ **Les collectivités territoriales bénéficient d'une certaine autonomie de décision et de leur propre budget** (principe de libre administration) sous la surveillance d'un représentant de l'État (l'autorité de tutelle : le préfet). Ce n'est pas un supérieur hiérarchique, il veille simplement à la légalité des actes émis par les collectivités territoriales. Ce contrôle est la contrepartie nécessaire du principe de libre administration des collectivités et rappelle le caractère unitaire de l'État.

Cette relative autonomie permet aujourd'hui de **traiter la diversité des situations locales** afin d'y apporter des réponses adaptées. Ainsi dans le domaine de l'enseignement, le département, et non le ministère de l'Éducation nationale, décide et assure la construction ou la réparation des collèges nécessaires sur son territoire. Il peut même en devenir le propriétaire depuis la loi du 13 août 2004 relative aux libertés et responsabilités locales.

Le mouvement de décentralisation a contribué **à transformer la société française**. Avec le transfert de pouvoirs nouveaux aux élus locaux, la démocratie a progressé, les attentes des citoyens s'expriment mieux qu'auparavant et des réponses plus concrètes sont apportées. Depuis la révision constitutionnelle du 28 mars 2003, on assiste à une relance du processus de décentralisation.

La révision constitutionnelle de 2003

La réforme initiée en 2003 va dans le sens d'un approfondissement de la décentralisation. La révision de la Constitution du 28 mars 2003, qui en constitue la première étape, a établi un certain nombre de changements (*cf.* tableau).
La seconde étape correspond à la publication des lois organiques (LO) précisant les modalités d'organisation des référendums décisionnels locaux (LO du 1er août 2003), de l'expérimentation (LO du 2 août 2003) et de l'autonomie financière des collectivités territoriales (LO du 29 juillet 2004).
Enfin, la loi du 13 août 2004 relative aux libertés et responsabilités locales a précisé les nouveaux transferts de compétences, pour la plupart effectifs depuis le 1er janvier 2005.

	Jusqu'en 2003	**Après la réforme de 2003**
Organisation de la République	Aucune précision dans la Constitution	« Son organisation est décentralisée » (article 1).
Définition des collectivités territoriales	Sont reconnus les communes, les départements et les territoires d'outre-mer.	Sont reconnus les communes, les départements, les régions, les collectivités à statut particulier et les collectivités d'outre-mer (article 72).
L'outre-mer	Il existe des départements et régions d'outre-mer (DOM et ROM), et des territoires d'outre-mer (TOM).	Les DOM et les ROM continuent d'exister. Les collectivités d'outre-mer remplacent les TOM. Seules les TAAF (Terres australes et antarctiques françaises) restent alors un TOM dans les faits, en vertu de la loi statutaire du 6 août 1955 (articles 72 et 72-3). La loi du 21 février 2007 a depuis modifié son statut.
Pouvoir réglementaire	Pas reconnu par la Constitution	Reconnu par la Constitution (article 72)
Expérimentation	Pas reconnue par la Constitution	Les collectivités et leurs groupements peuvent, lorsque la loi ou le règlement les y autorisent et pour une durée définie à l'avance, déroger aux lois et règlements qui les régissent afin de « tester » localement les effets d'une mesure nouvelle (article 72).

	Jusqu'en 2003	Après la réforme de 2003
Autonomie financière des collectivités	Existe, avec quelques imperfections, mais pas inscrite dans la Constitution.	Principe inscrit dans la Constitution (article 72-2). En conséquence : – la liberté de dépense est consacrée ; – les collectivités peuvent fixer l'assiette et le taux des impositions dans des limites fixées par la loi ; – aucun transfert de compétences entre l'État et les collectivités sans transfert des ressources équivalentes ; – reconnaissance du principe de péréquation.
Démocratie locale		
Droit de pétition	N'existe pas.	Est inscrit dans la Constitution. Les électeurs des collectivités peuvent demander l'inscription à l'ordre du jour de l'assemblée délibérante (ex : conseils municipaux, conseils généraux, conseils régionaux) d'une question relevant de ses compétences (article 72-1).
Référendum local	Seules les communes peuvent organiser un référendum. Mais il a seulement une valeur consultative et non de décision.	Toutes les collectivités peuvent désormais soumettre à la décision de leurs électeurs un projet de texte (acte ou délibération) par référendum décisionnel local (article 72-1).
Consultations locales	*Idem*	Les électeurs peuvent être consultés lors : – de la création d'une collectivité territoriale à statut particulier et de la modification de son organisation ; – d'un changement de limites territoriales de la collectivité. Ces consultations ont une valeur d'avis (article 72-1). Par contre, une collectivité territoriale située outre-mer ne peut pas changer de régime législatif sans le consentement de ses électeurs (article 72-4).

Qu'est-ce que l'administration territoriale décentralisée ?

L'administration territoriale décentralisée comprend les services des collectivités territoriales. Elle se distingue de l'administration territoriale « tout court » qui rassemble les services des collectivités, mais aussi les services déconcentrés de l'État.

▶▶ Les collectivités territoriales sont des **structures administratives françaises, distinctes de l'administration de l'État**, qui prennent en charge les intérêts de la population d'un territoire précis (ex : commune, département, région). La définition et l'organisation des collectivités territoriales sont déterminées par la Constitution (article 34 et titre XII), les lois et les décrets. Ces dispositions sont rassemblées dans le Code général des collectivités territoriales. Depuis la révision constitutionnelle du 28 mars 2003, seul le terme « collectivité territoriale » est juridiquement fondé et non l'expression « collectivité locale » relevant désormais du langage courant.

▶▶ **Une collectivité territoriale est définie par trois critères** :
– elle est dotée de la **personnalité morale**, qui lui permet d'agir en justice. Alliée à la décentralisation, elle fait bénéficier la collectivité territoriale de l'autonomie administrative. Elle dispose ainsi de son propre personnel et de son propre budget. Au contraire, les ministères, les services de l'État au niveau local ne sont pas des personnes morales. Il s'agit seulement d'administrations émanant de l'État ;
– elle détient des **compétences propres**, qui lui sont confiées par le législateur (Parlement). Mais, elle n'est pas un État dans l'État. Elle ne détient pas de souveraineté et ne peut pas se doter, de sa seule initiative, d'organes nouveaux ;
– elle exerce un **pouvoir de décision**, par délibération au sein d'un conseil de représentants élus. Les décisions sont ensuite appliquées par les pouvoirs exécutifs locaux. Depuis la révision constitutionnelle du 28 mars 2003, les collectivités disposent d'un pouvoir réglementaire pour l'exercice de leurs compétences.

▶▶ Les collectivités territoriales n'ont **pas toutes les mêmes règles de fonctionnement ni le même statut**.

La libre administration des collectivités territoriales : principes et limites

Le principe de la libre administration des collectivités territoriales est posé par la Constitution. La voie de la décentralisation est néanmoins étroite, dans la mesure où le législateur a été soucieux de préserver la conception française de l'État unitaire. Ce principe ne peut donc avoir une portée générale et absolue.

Un principe fort

La révision constitutionnelle du 28 mars 2003 a confirmé le principe de libre administration des collectivités territoriales qui était déjà présent dans la Constitution.

L'article 72 énonce désormais ainsi le principe de la libre administration des collectivités territoriales : « Les collectivités territoriales de la République sont les communes, les départements, les régions, les collectivités à statut particulier et les collectivités d'outre-mer [...]. Toute autre collectivité territoriale est créée par la loi [...]. Dans les conditions prévues par la loi, **ces collectivités s'administrent librement** par des conseils élus et disposent d'un pouvoir réglementaire pour l'exercice de leurs compétences ».

Le principe de libre administration, principe de rang constitutionnel, s'impose au législateur et à toutes les autorités administratives. Il est d'ailleurs repris dans le Code général des collectivités territoriales. La révision constitutionnelle du 28 mars 2003 a élevé la région au rang de collectivité territoriale inscrite dans la Constitution, a créé une nouvelle catégorie de collectivité territoriale, les collectivités d'outre-mer, et a supprimé la catégorie des territoires d'outre-mer de la Constitution. L'existence des communes, départements, régions, collectivités à statut particulier et collectivités d'outre-mer est donc inscrite dans le texte même de la Constitution. Leur suppression nécessiterait sa révision.

La personnalité juridique

Cependant, la seule reconnaissance par l'État de structures administratives gérant des intérêts particuliers distincts de l'intérêt général ne suffit pas à caractériser la décentralisation. L'attribution de la personnalité juridique est un élément nécessaire, car elle conditionne l'autonomie organique et fonctionnelle des structures infra-étatiques, malgré le principe de spécialité des personnes morales de droit public.

L'autonomie administrative

Ensuite, pour permettre une décentralisation effective, cette autonomie doit se traduire par :

– **l'indépendance organique**, assurée lorsque les organes dirigeants des collectivités décentralisées ne relèvent pas du pouvoir hiérarchique et disciplinaire du pouvoir central. L'élection est une garantie de cette indépendance organique ;

– **des pouvoirs de décision propres**, indépendants du pouvoir central, dans le respect de la Constitution, des lois et des règlements qui les définissent.

En la matière, la liberté des autorités décentralisées est la règle, l'intervention de l'État est l'exception. Les pouvoirs de décision des collectivités territoriales sont garantis par le droit d'ester en justice permettant d'obtenir la sanction d'un empiètement de l'autorité publique sur leurs compétences ;

– **des pouvoirs de décision garantissant l'indépendance des collectivités territoriales les unes par rapport aux autres** ;

– **des moyens suffisants et garantis** par l'autonomie financière, et par l'autonomie de recrutement et de gestion du personnel.

Conformément aux règles du droit administratif général, les collectivités territoriales disposent de prérogatives de puissance publique, notamment la possibilité d'imposer de manière unilatérale des obligations aux administrés par des actes administratifs unilatéraux.

Une mise en application renouvelée

Enfin, **la libre administration des collectivités territoriales ne saurait remettre en cause l'unité de l'ordre juridique**. Aussi, un certain nombre de dispositifs de contrôle ont-ils été prévus par le législateur afin de prévenir ou de sanctionner le non-respect des lois et règlements.

L'existence d'un contrôle de l'État sur les activités et les actes des collectivités est inscrite dans l'article 72 de la Constitution, comme l'a d'ailleurs confirmé la décision du Conseil constitutionnel du 25 février 1982 rendue dans le cadre du contrôle de constitutionnalité de la première loi de décentralisation (du 2 mars 1982).

Les limites fixées par le Conseil constitutionnel

Le législateur et les libertés publiques

Si le principe de libre administration a valeur constitutionnelle, il **ne saurait aboutir à ce que l'application d'une loi organisant l'exercice d'une liberté publique dépende de décisions des collectivités territoriales**, et qu'ainsi elle ne soit pas la même sur l'ensemble du territoire. Ainsi en a décidé le Conseil constitutionnel en 1985 en censurant une disposition législative qui subordonnait la passation d'un contrat d'allocation entre l'État et un établissement privé du premier degré à l'agrément de la commune siège de l'accord. De la même façon, la décision du 13 janvier 1994 a déclaré contraire à la Constitution l'article 2 de la loi relative aux conditions de l'aide aux investissements des établissements d'enseignement privés par les collectivités territoriales.

Un principe souvent brandi, notamment en termes d'autonomie fiscale

« Le législateur peut définir des catégories de dépenses obligatoires pour les collectivités territoriales : ces obligations doivent être définies avec précaution quant à leur objet et à leur portée ». Le Conseil constitutionnel a ainsi rappelé (décision du 29 mai 1990) l'obligation faite aux départements d'inscrire à leur budget une contribution au Fonds de solidarité pour le logement, satisfaisant aux conditions de constitutionnalité, la loi prévoyant que des conventions associent les départements aux décisions portant sur le fonctionnement

et le financement du fonds, et sur la mise en œuvre du plan départemental d'action pour le logement.
Conformément à l'article 34 de la Constitution, le législateur dispose du pouvoir général de déterminer les ressources des collectivités territoriales. Par sa décision du 6 mai 1991, le Conseil constitutionnel a déduit de la compétence générale du législateur le pouvoir de décider que le produit d'une imposition perçue au profit d'une catégorie de collectivités pourra, dans des conditions respectant le principe de libre administration, être affecté pour partie à d'autres collectivités. En l'espèce, le prélèvement obligatoire sur les ressources fiscales des communes les plus favorisées entraîne une augmentation de leurs charges ; mais, s'agissant de communes dont le potentiel fiscal est le plus élevé, il n'en résulte pas une entrave à leur libre administration.
Cependant, plus récemment, la réforme constitutionnelle du 28 mars 2003 a inscrit dans la Constitution le principe de l'autonomie financière des collectivités territoriales. Désormais, elles peuvent notamment fixer l'assiette et le taux des impositions dans des limites fixées par la loi et aucun transfert de compétences entre l'État et les collectivités ne doit se faire sans transfert des ressources correspondantes.

Quelles sont les différentes collectivités territoriales ?

▶▶ Depuis la révision constitutionnelle du 28 mars 2003, sont définies comme « **collectivités territoriales de la République** » à l'article 72 de la Constitution :
– les **communes** (36783 en 2007) ;
– les **départements** (96), auxquels s'ajoutent les quatre départements d'outre-mer (DOM) (Guadeloupe, Guyane, Martinique et La Réunion) ;
– les **régions** (22), auxquelles s'ajoutent également quatre régions d'outre-mer (ROM) (Guadeloupe, Guyane, Martinique et La Réunion) ;
– les **collectivités à statut particulier**, notamment la collectivité territoriale de Corse ;
– les **collectivités d'outre-mer** : Mayotte, Saint-Pierre-et-Miquelon, les îles Wallis et Futuna, la Polynésie française, et depuis la loi organique du 21 février 2007, Saint-Martin et Saint-Barthélemy.

La catégorie juridique des territoires d'outre-mer (TOM) n'existe plus dans la Constitution depuis la révision constitutionnelle du 28 mars 2003. Les TAAF (Terres australes et antarctiques françaises), anciennement TOM, forment cependant « un territoire d'outre-mer », mais au sens de territoire situé outre-mer, en vertu de la loi statutaire du 6 août 1955 modifiée par la loi du 21 février 2007. La Nouvelle-Calédonie dispose d'un statut situé entre indépendance et gouvernement autonome. Le titre XIII de la Constitution lui est consacré. Le caractère unique des statuts de ces deux territoires fait qu'on les désigne souvent comme des « collectivités *sui generis* ».

La plupart des collectivités suivent les mêmes règles de fonctionnement définies par la Constitution et les lois et décrets. Elles sont **dites de droit commun**.
Elles sont composées :
– d'une assemblée délibérante élue au suffrage universel direct (conseils municipal, général ou régional) ;
– d'un pouvoir exécutif élu en son sein par l'assemblée (maire et ses adjoints, présidents des conseils général et régional).
Les régions sont dotées, en plus de ces deux instances, d'un conseil économique et social régional.

Il existe cependant des exceptions. C'est le cas :
– de Paris car son territoire recouvre deux collectivités territoriales distinctes, la commune et le département ;
– des communes de Lyon et Marseille qui sont dotées de statuts spécifiques ;
– de la Corse qui bénéficie d'un statut de type unique ;
– de certaines collectivités d'outre-mer (la Polynésie par exemple) qui présentent des particularités ;
– des TAAF et de la Nouvelle-Calédonie.

Qui dirige l'administration territoriale décentralisée ?

En tant qu'agent exécutif de la commune, le maire est le chef de l'administration communale. Il est le supérieur hiérarchique des agents de la commune et dispose d'un pouvoir d'organisation des services. Il est également chargé de l'exécution des décisions du conseil municipal et agit sous contrôle de ce dernier. Il exerce aussi des compétences déléguées par le conseil dans différents domaines (ex : réalisation des emprunts, action en justice) et doit alors lui rendre compte de ses actes. Il est enfin titulaire de pouvoirs propres, notamment en matière de police administrative.

Le maire bénéficie d'une «**double casquette**», car il est à la fois un **agent de la commune**, en tant que collectivité territoriale, et un **agent de l'État**. En effet, l'État ne délègue pas dans les communes de représentants dotés de compétences générales comme les préfets pour les départements et les régions. En tant qu'agent de l'État et sous l'autorité du préfet, le maire remplit diverses fonctions administratives (ex : organisation des élections). Sous l'autorité du procureur de la République dans le domaine judiciaire, il est officier d'État civil et de police judiciaire.

Le président du conseil général est l'organe exécutif du département. À ce titre, il est «**seul chargé de l'administration**». Il est donc le chef des services du département, mais peut cependant disposer, en cas de besoin, des services déconcentrés de l'État. Il prépare et exécute aussi les délibérations du conseil. Enfin, il gère le domaine du département et dispose de pouvoirs de police particuliers (ex : circulation).

Le président du conseil régional dirige la région, en tant qu'organe exécutif, assisté de la commission permanente et du bureau, **et donc l'administration régionale**. Il dispose également en cas de besoin des services déconcentrés de l'État. Ses attributions sont en grande partie identiques à celles du président du conseil général.

Qu'est-ce qu'une délégation de compétences ?

Une délégation est la **possibilité pour une autorité administrative** (ex : ministre, préfet, maire) **de déléguer une partie de ses pouvoirs ou sa signature à une autre autorité, auprès d'elle ou qui lui est subordonnée, afin de se décharger**. La délégation – tout comme la suppléance ou l'intérim en cas d'empêchement ou d'absence d'une autorité administrative – est un procédé de substitution de compétences admis par le droit. En effet, en droit public français, le titulaire d'une compétence doit en principe l'exercer lui-même. Mais un souci de réalisme conduit à l'aménagement de ce principe. Toute délégation doit être autorisée par la loi ou le décret.

La loi de décentralisation du 2 mars 1982

La loi du 2 mars 1982 relative aux droits et libertés des communes, des départements et des régions ouvre la voie à un profond bouleversement de la répartition des pouvoirs au profit des acteurs locaux. Considérée comme la loi fondamentale de la décentralisation, elle consacre essentiellement trois évolutions.

La suppression de la tutelle administrative et financière *a priori* exercée par le préfet

La loi du 2 mars 1982 et celles qui la complètent sont en rupture franche avec l'état antérieur du droit. Avant elle, l'autorité de tutelle (le préfet) disposait – dans des hypothèses et conditions déterminées – du pouvoir d'annuler les actes des autorités locales qu'elle jugeait illégaux ou inopportuns. Le préfet exerçait une tutelle *a priori* sur l'acte, avant qu'il ne devienne exécutoire.

La loi de 1982 lui retire entièrement ce pouvoir. Désormais, **il exerce une tutelle *a posteriori* et ne peut que déférer les actes des autorités qu'il contrôle au tribunal administratif**, qui apprécie s'il doit en prononcer l'annulation s'il les juge « contraires à la légalité ». Cette procédure exclut que ces actes puissent être censurés pour cause d'inopportunité, comme c'était le cas auparavant. Actuellement, pour qu'un acte d'une collectivité soit exécutoire, il suffit qu'il soit adopté par l'assemblée délibérante ou signé par l'autorité exécutive, transmis au préfet (loi du 2 mars 1982) et publié ou notifié (loi du 22 juillet 1982).

La loi du 2 mars 1982 dresse une liste des actes dont la transmission est obligatoire en raison de leur importance particulière, qui rend souhaitable que l'autorité de tutelle en soit informée. Ces actes sont des actes unilatéraux (délibérations, arrêtés réglementaires...) ou des contrats (marchés, contrats d'emprunts...). La liste de ces actes soumis à l'obligation de transmission a été réduite par la loi du 13 août 2004 relative aux libertés et responsabilités locales. N'y figurent plus, notamment, les décisions prises par le maire en matière de circulation et de stationnement comme certaines prises en matière d'urbanisme. Il s'agit de concentrer le contrôle de légalité sur les principaux enjeux, afin de renforcer son efficacité. C'est également l'objectif de la circulaire du 17 janvier 2006 modernisant le contrôle de légalité et qui le recentre sur les questions d'intercommunalité, de commande publique, d'urbanisme et d'environnement. Toutefois, avant de saisir le tribunal (ce qu'il peut faire dans les deux mois), le préfet est dans **l'obligation d'informer la collectivité, par une lettre d'observations, des illégalités qu'il a décelées.** Loin d'entraîner un recours systématique aux tribunaux, cette disposition favorise le dialogue entre le représentant de l'État et les collectivités qu'il contrôle.

Cependant, il convient de se garder de tirer une conclusion trop hâtive de l'intitulé de la loi de 1982, en affirmant qu'une tutelle légère s'est substituée à une tutelle pesante. En effet, la loi n'a fait que prolonger l'évolution antérieure dans le sens d'une limitation du contrôle de tutelle, mais en aucun cas elle ne la supprime, ce qui serait d'ailleurs contraire à la Constitution. Allégée, la tutelle subsiste, assurée par les préfets de département et par les préfets de région.

Le transfert de l'exécutif départemental et régional au profit d'un élu local

Auparavant, l'exécutif de ces deux collectivités était assuré par un préfet (de département ou de région). Depuis la loi du 2 mars 1982, le chef de l'exécutif départemental est le président du conseil général et celui de la région est le président du conseil régional.

Le département était déjà une collectivité territoriale, puisqu'il disposait d'un organe délibérant élu au suffrage universel direct (le conseil général) et d'un président, au titre uniquement honorifique. En effet, c'était le préfet, aidé par les administrations d'État, qui assurait l'exécution des décisions du conseil général. Avec la loi du 2 mars 1982, le département devient une collectivité de plein exercice. Désormais, c'est le président du conseil général, élu parmi ses pairs, qui préside l'assemblée, prépare et exécute les budgets et les délibérations. Il devient également le chef de l'administration départementale.

En ce qui concerne la région, le transfert de l'exécutif fut réalisé immédiatement (article 73 de la loi du 2 mars 1982), sans attendre que celle-ci devienne une collectivité territoriale. En effet, ce n'est qu'en 1986 que les conseillers régionaux ont été élus au suffrage universel, mais dans le cadre départemental. Le préfet n'est plus que le représentant de l'État dans le département ou dans la région.

La région devient une collectivité territoriale de plein exercice

En tant que personnes morales décentralisées, les régions ont été instituées par la loi du 5 juillet 1972, mais sous la forme d'établissements publics. Leur transformation en collectivités territoriales de plein exercice fut prévue par la loi du 2 mars 1982, qui spécifiait (articles 59 et 60) que cette transformation serait liée à l'élection de leur assemblée délibérante, le conseil régional, au suffrage universel direct. **Cependant, leur organisation n'est intervenue que par la loi du 6 janvier 1986**. Leur mode de fonctionnement est calqué sur celui des départements, avec en plus un conseil (ancien comité) économique et social (organisme consultatif).

Cette émergence difficile peut s'expliquer par des raisons administratives, le législateur de 1972 craignant une certaine lourdeur, alors que celui de 1982 a manifesté une autre volonté. Techniquement, la nouvelle formule est en harmonie avec le dessein d'accroître l'importance des régions, même si leurs nouvelles attributions ne doivent pas faire d'elles des unités d'administration aussi complètes que les autres collectivités.

Aujourd'hui, on constate que le périmètre des missions dévolues à la région n'est pas encore pleinement stabilisé. En effet, la loi du 27 février 2002 relative à la démocratie de proximité, comme la loi du 13 août 2004 relative aux libertés et responsabilités locales, ont accordé de nouvelles prérogatives à la région. Ainsi son rôle de coordination dans le domaine économique et sa pleine responsabilité de la gestion de la formation professionnelle ont-ils été récemment affirmés.

La vaste réforme réalisée par la loi du 2 mars 1982 et celles qui l'ont suivie étaient ambitieuses : elles ont tracé un véritable programme législatif qui apparaît aujourd'hui largement positif. C'est dans leur continuité qu'entend s'inscrire la deuxième vague de décentralisation lancée en 2003.

Il existe **deux types de délégation de compétences** :
– la **délégation de pouvoir** : est un véritable transfert de compétences d'une autorité administrative à une autre, car elle est accordée non pas à une personne mais à une fonction. La personne qui reçoit cette délégation agit alors en son nom propre (ex : délégation de pouvoir donnée au préfet par le ministère de l'Intérieur);
– la **délégation de signature** s'effectue, cette fois, au profit d'une personne nommément désignée, qui prend alors des décisions au nom du délégant. Ainsi, les préfets délèguent leur signature dans de nombreux domaines (ex : refus de titre de séjour opposés à des étrangers). Le décret du 27 juillet 2005 a, par ailleurs, simplifié les modalités de délégation de signature des ministres aux principaux responsables d'administration centrale, désormais effective dès la nomination de ces derniers, sauf pour les décrets concernant les affaires de leurs services.

Enfin, il existe une possibilité de **subdélégation**. En effet, le titulaire d'une délégation de pouvoir peut, à son tour, subdéléguer à une autre autorité. Mais, cette fois, il ne peut s'agir que d'une subdélégation de signature, afin d'éviter une dilution trop importante du pouvoir et de la responsabilité.

Quels sont les différents types de collectivités territoriales en outre-mer ?

L'outre-mer français a été réorganisé par la révision constitutionnelle du 28 mars 2003 et la loi de programme pour l'outre-mer du 21 juillet 2003. Les lois organique et ordinaire du 21 février 2007 ont respectivement complétée et modifiée ces lois. Elles ont défini les conditions d'adaptation des lois et règlements dans les DOM et ROM et modifié les statuts et les régimes législatifs de plusieurs collectivités situées outre-mer.

Ainsi, depuis 2003, la Constitution reconnaît l'existence de «populations d'outre-mer» (article 72-3) et établit les catégories de collectivités suivantes en outre-mer :
– les départements et régions d'outre-mer (DOM et ROM);
– les collectivités d'outre-mer (COM);

– la Nouvelle-Calédonie et les Terres australes et antarctiques françaises (TAAF) qui possèdent chacune des particularités. Elles sont dites *sui generis*, parce qu'elles ne correspondent à aucune des catégories juridiques de collectivités existantes.

▶▶ Aujourd'hui, il existe deux régimes législatifs pour l'outre-mer :
– le **régime de l'identité législative** (article 73 de la Constitution) : les lois et règlements nationaux sont alors applicables de plein droit en outre-mer. Pour tenir compte des spécificités de ces collectivités, des adaptations sont néanmoins possibles. Celles-ci peuvent être demandées par le Parlement et le Gouvernement ou par les collectivités si elles y ont été autorisées par la loi. Les collectivités peuvent aussi élaborer des règlements portant sur certaines questions relevant du domaine de la loi, à l'exception des matières «régaliennes» (c'est-à-dire notamment en matière de justice, libertés publiques, etc.). Ce régime concerne principalement les DOM-ROM;
– le **régime de spécialité législative et d'autonomie** (article 74 de la Constitution) : une loi organique définit le statut particulier de chaque collectivité soumise à ce régime. Elle détermine également les lois qui s'y appliquent. Les assemblées locales peuvent élaborer des règlements relevant du domaine de la loi, à l'exclusion des matières régaliennes. Ce régime concerne les COM et la Nouvelle-Calédonie.
Cependant, dans certaines COM (ex : Mayotte, Saint-Pierre-et-Miquelon), identité et spécialité législatives sont associées. Les lois et règlements nationaux s'appliquent alors, selon les domaines concernés, automatiquement ou seulement sur mention expresse.
Dans tous les cas, aucun changement de régime ne peut avoir lieu sans le consentement des électeurs de la collectivité située outre-mer concernée.

▶▶ Le tableau ci-après rend compte des modifications intervenues en 2003 et 2007 :

	Statut des collectivités situées outre-mer			Régime législatif	
	Avant la révision de la Constitution du 28 mars 2003	**Après la révision de la Constitution de 2003**	**Après les lois de février 2007**	**Avant les lois de février 2007**	**Après les lois de février 2007**
Guadeloupe Guyane Martinique	Ce sont à la fois des départements (DOM) et régions d'outre-mer (ROM).	– Ce sont à la fois des départements (DOM) et régions d'outre-mer (ROM). – Possibilité de fusionner DOM et ROM.	*Idem*	Identité législative	*Idem*
La Réunion	À la fois DOM et ROM.	– À la fois DOM et ROM. – Possibilité de fusionner DOM et ROM.	*Idem*	Identité législative mais sans possibilité d'élaborer des règlements.	*Idem*
Mayotte	Collectivité à statut particulier	Collectivité d'outre-mer	*Idem*	Spécialité législative avec des exceptions relevant de l'identité législative.	***(en vigueur au 1er janvier 2008)*** **Identité législative avec des exceptions** relevant de la spécialité législative.
Saint-Pierre-et-Miquelon	Collectivité à statut particulier	Collectivité d'outre-mer	*Idem*	Identité législative avec des exceptions relevant de la spécialité législative.	***(en vigueur au 1er janvier 2008)*** ***Idem***
Saint-Martin	Commune	*Idem*	Collectivité d'outre-mer	Identité législative	**Identité législative avec des exceptions** relevant de la spécialité législative. **Et autonomie**
Saint-Barthélemy	Commune	*Idem*	Collectivité d'outre-mer	Identité législative	**Identité législative avec des exceptions** relevant de la spécialité législative. **Et autonomie**
Wallis-et-Futuna	Territoire d'outre-mer (TOM)	Collectivité d'outre-mer	*Idem*	Spécialité législative	*Idem*
Polynésie française	Territoire d'outre-mer (TOM)	Collectivité d'outre-mer	*Idem*	Spécialité législative autonomie	*Idem*
Nouvelle-Calédonie	Collectivité à statut particulier	Collectivité *sui generis*	*Idem*	Autonomie	*Idem*
TAAF	Territoire d'outre-mer (TOM)	Territoire d'outre-mer (TOM) dans les faits mais plus constitutionnellement.	Collectivité *sui generis*	Spécialité législative. Autonomie administrative et financière.	**Spécialité législative avec des exceptions** relevant de l'identité législative. **Autonomie administrative et financière**.

Statuts et modes d'administration des collectivités situées en outre-mer

Les DOM et les ROM

Les quatre départements d'outre-mer (DOM) (Guadeloupe, Martinique, Guyane, La Réunion) ont été créés par la loi du 19 mars 1946. Ils ont le même statut que les départements métropolitains, mais l'article 73 de la Constitution prévoit la possibilité d'adapter les textes législatifs et leur organisation administrative en raison de leur situation particulière.

Les régions d'outre-mer (ROM), à la différence des régions métropolitaines, sont **mono-départementales**, c'est-à-dire constituées d'un seul département. Deux collectivités se trouvent ainsi superposées (département et région) avec un seul préfet, mais chacune possédant son assemblée délibérante : le conseil général pour le DOM et le conseil régional pour la ROM. La réforme constitutionnelle du 28 mars 2003 prévoit, après accord de leurs électeurs, la possibilité de créer une collectivité unique, se substituant à la fois à un DOM et une ROM, ou une assemblée unique pour ces deux collectivités. Lors de la consultation du 7 décembre 2003, la Guadeloupe et la Martinique ont refusé la mise en place d'une collectivité unique.

La réforme constitutionnelle de mars 2003 a accordé aux DOM et ROM la possibilité, après y avoir été autorisés par la loi, d'adapter les lois et règlements (ex : décrets) dans les domaines relevant de leurs compétences. Elle leur accorde aussi (sauf pour La Réunion) la possibilité d'être habilités par la loi à fixer eux-mêmes des règles applicables sur leur territoire pour certaines questions relevant du domaine de la loi, à l'exception des matières « régaliennes » (notamment en matière de libertés publiques, de sécurité). La loi organique du 21 février 2007 a précisé les conditions d'application de ces mesures.

Les collectivités d'outre-mer

Les collectivités d'outre-mer (COM) ont été **créées par la révision constitutionnelle du 28 mars 2003**. On en compte six depuis la loi organique du 21 février 2007. Ce sont des anciens TOM (Polynésie, Wallis-et-Futuna), des anciennes collectivités à statut particulier (Saint-Pierre-et-Miquelon, Mayotte) ou d'anciennes communes (Saint-Barthélemy, Saint-Martin).
Afin de tenir « compte des intérêts propres de chacune d'elles » (article 74 de la Constitution), elles ont toutes des statuts différents.

Mayotte

Mayotte était une collectivité territoriale à statut particulier depuis 1976. La loi du 11 juillet 2001, tout en la laissant dans cette catégorie de collectivités, avait modifié son statut et établi la « collectivité départementale de Mayotte ». **La révision constitutionnelle de mars 2003 l'a transformée en COM.** La loi organique du 21 février 2007 a depuis actualisé son statut tout en lui laissant le même nom. Ses institutions se composent d'un conseil général et de son président, d'une commission permanente du conseil général, d'un conseil économique et social et d'un conseil de la culture, de l'éducation et de l'environnement. Le conseil général, assemblée de Mayotte élue pour six ans, gère les affaires de la collectivité. Il dispose aussi de compétences consultatives, par exemple au sujet de modifications des lois ou règlements applicables à Mayotte. Depuis son renouvellement en mars 2004, l'exécutif, auparavant détenu par le préfet, a été transféré au président du conseil général. Après le renouvellement de 2008, le conseil général pourra adopter une résolution modifiant le statut de Mayotte pour en faire un DOM. Cette évolution vers la départementalisation, souhaitée localement depuis longtemps, est préparée par la loi organique de 2007. Ainsi, à quelques exceptions (ex : construction et entretien des collèges et lycées), la collectivité a les mêmes compétences que les départements et les régions. Son régime législatif est également modifié : à partir du 1er janvier 2008, l'identité législative devient la règle et la spécialité législative, l'exception. Comme les DOM-ROM, Mayotte pourra adapter les lois et réglements.

Saint-Pierre-et-Miquelon

Saint-Pierre-et-Miquelon a connu plusieurs statuts avant d'être une COM. TOM en 1946, puis DOM en 1976, elle est devenue une collectivité territoriale à statut particulier avec la loi du 11 juin 1985. Comme Mayotte, elle **a été transformée en COM par la révision constitutionnelle de mars 2003** et son statut a été actualisé par la loi organique du 21 février 2007. Ses institutions ont été modifiées et se composent désormais d'un conseil territorial (anciennement appelé conseil général) et de son président, d'un conseil exécutif (ancienne commission permanente) et d'un conseil économique, social et culturel (auparavant seulement conseil économique et social). Le conseil général s'est changé en « conseil territorial » afin d'éviter toute confusion avec les conseils généraux des DOM et celui de Mayotte, qui souhaite évoluer vers un statut de département. Son mandat a été réduit de six à cinq ans, mais il comporte toujours dix-neuf membres. Il exerce les mêmes compétences que les autres conseils régionaux et généraux, à quelques exceptions près (ex : construction et entretien des collèges et lycées). Le régime législatif de Saint-Pierre-et-Miquelon n'a pas changé sur le fond : l'identité législative est la règle et la spécialité législative, l'exception. Elle pourra également, comme les DOM-ROM, être autorisée à adapter les lois et règlements à ses spécificités.

Saint-Barthélemy et Saint-Martin

Saint-Barthélemy et Saint-Martin sont deux îles et anciennes communes de la Guadeloupe. Elles ont été **transformées en COM par la loi organique du 21 février 2007** sous les noms de « collectivité de Saint-Barthélemy » et de « collectivité de Saint-Martin ». Leur évolution statutaire était réclamée depuis longtemps par la population locale. La révision constitutionnelle du 28 mars 2003 l'a rendue possible en prévoyant qu'une partie d'un DOM (ici la Guadeloupe) pouvait changer de régime, à condition d'avoir le consentement des électeurs concernés. Celui-ci a été obtenu lors des consultations du 7 décembre 2003 organisées dans les deux communes.

Elles sont les deux premiers cas de territoires relevant d'une seule collectivité territoriale. En effet, pour chaque île, une collectivité unique (la COM) est mise en place et se substitue à la commune, au département et à la région de Guadeloupe. En conséquence, elles exercent les compétences des communes, et celles du département et de la région de la Guadeloupe. Leurs institutions sont inspirées du modèle des départements, mais leurs compétences sont différentes. Saint-Barthélemy et Saint-Martin disposent chacune d'un conseil territorial, élu pour cinq ans et composé respectivement de 19 et 23 membres, d'un président du conseil territorial assisté d'un conseil exécutif, et d'un conseil économique, social et culturel. Elles sont toutes les deux dotées de l'autonomie et d'un régime législatif fondé sur le principe d'identité législative avec des exceptions relevant de la spécialité législative. Elles peuvent adapter les lois et règlements en vigueur localement et fixer des règles dans certaines matières comme les impôts, la circulation routière, la voirie ou le tourisme.

La Polynésie française

Depuis le 27 février 2004, la Polynésie française est dotée d'un nouveau statut qui renforce encore son autonomie après les différents statuts adoptés depuis 1984 (loi organique n° 2004-192 complétée par la loi ordinaire n° 2004-193). Cette COM est désormais qualifiée de « **pays d'outre-mer au sein de la République** ». Elle se gouverne librement par ses représentants élus et par la voie du référendum local. Elle peut désormais disposer de représentations auprès de tout État reconnu par la République française. Toutefois, ce ne sont pas des représentations diplomatiques. Le haut-commissaire de la République représente l'État en Polynésie.
Ses institutions se composent d'"un président de la Polynésie, du gouvernement de la Polynésie, de l'assemblée de la Polynésie, du conseil économique, social et culturel, du haut conseil de la Polynésie.

Wallis-et-Futuna

Wallis-et-Futuna dispose d'un statut proche de l'administration directe. La collectivité est représentée au Parlement par un député et un sénateur.

La Nouvelle-Calédonie et les TAAF

La Nouvelle-Calédonie et les TAAF disposent de statuts à caractère unique qui ne correspondent à aucune catégorie juridique de collectivités existantes. Elles sont dites « collectivités *sui generis* ». Cependant, cette expression est juridiquement abusive au sujet des TAAF. En effet, elles ne disposent pas d'assemblée élue et ne peuvent donc être considérées comme une collectivité territoriale au sens strict.

Ancien TOM, **la Nouvelle-Calédonie dispose d'institutions spécifiques** (titre XIII de la Constitution). Elle **n'entre pas dans la nouvelle catégorie des collectivités d'outre-mer** établies par la réforme constitutionnelle de mars 2003. Un statut provisoire a été défini en 1999 en attendant qu'elle se détermine, à partir de 2014, entre l'indépendance et un gouvernement autonome.
Parmi les différentes innovations, on peut noter :
– l'institution d'une citoyenneté calédonienne ;

– une nouvelle répartition des compétences entre l'État et la Nouvelle-Calédonie, notamment dans le domaine des relations internationales où les compétences sont partagées. Le président du gouvernement calédonien peut négocier des accords avec des États du Pacifique, mais le pouvoir de les signer lui est confié par les autorités de la République. La Nouvelle-Calédonie peut aussi disposer d'une représentation auprès de ces États ;
– les « lois du pays », votées par le congrès, sont soumises au contrôle du Conseil constitutionnel.

Jusqu'en février 2007, **les Terres australes et antarctiques françaises (TAAF)** constituaient le seul territoire d'outre-mer (TOM) encore existant dans les faits depuis la suppression de cette catégorie par la révision constitutionnelle du 28 mars 2003. Celle-ci avait également établi que la loi déterminerait ensuite le régime législatif et l'organisation des TAAF. La loi ordinaire du 21 février 2007 a donc modernisé la loi statutaire du 6 août 1955 qui définit leur statut. Celui-ci est proche d'une administration directe par l'État, puisque les TAAF ne disposent pas d'assemblée élue, faute de population autochtone permanente, et qu'elles sont placées sous l'autorité du représentant de l'État, « l'administrateur supérieur des TAAF ». Elles jouissent cependant de l'autonomie administrative et financière. La loi de 2007 leur rattache les îles Éparses de l'océan Indien et rappelle qu'elles forment « un territoire d'outre-mer », au sens de territoire situé outre-mer. Elle leur accorde aussi explicitement la personnalité morale ce qui leur permet d'avoir un budget propre (ce qui était déjà le cas) et d'intervenir en justice. L'administrateur supérieur est qualifié de « chef du territoire » et ses missions sont redéfinies. Il est toujours assisté d'un conseil consultatif dont les attributions et la composition sont désormais fixées par décret. Leur régime législatif est réformé : la spécialité législative reste la règle, mais des exceptions relevant de l'identité législative sont introduites pour des raisons de simplification. Les lois et règlements concernant les domaines régaliens (ex : nationalité, défense nationale) s'y appliqueront donc de plein droit.

Qu'est-ce que l'intercommunalité ?

L'expression « intercommunalité » désigne les **différentes formes de coopération existant entre les communes**. La coopération intercommunale est apparue avec la loi du 22 mars 1890. Elle a ensuite été renforcée et simplifiée par les lois du 6 février 1992 et du 12 juillet 1999. Enfin, des dispositions de la loi du 13 août 2004 visent à améliorer son fonctionnement.

▶▶ L'intercommunalité répond à deux principaux objectifs. C'est d'abord un **remède à l'émiettement communal** et un instrument de l'organisation rationnelle des territoires. Mais elle favorise aussi le **développement économique local et la relance de la politique d'aménagement du territoire**.

Elle **permet aux communes de se regrouper au sein d'un établissement public** (EP), soit pour assurer certaines prestations (ramassage des ordures ménagères, assainissement, transports urbains...), soit pour élaborer de véritables projets de développement économique, d'aménagement ou d'urbanisme. Depuis la loi de 1999, les communes ne peuvent pas adhérer à plus d'un établissement de coopération intercommunale.

On distingue **deux types d'intercommunalité** :

– la forme souple ou associative (dite sans fiscalité propre) financée par les contributions des communes qui en sont membres. Elle leur permet de gérer ensemble des activités ou des services publics ;

– la forme approfondie ou fédérative (dite à fiscalité propre) caractérisée par l'existence de compétences obligatoires et par une fiscalité propre.

▶▶ À la différence des collectivités territoriales, les structures intercommunales n'ont que des **compétences limitées (principe de spécialité)**. Les communes leur transfèrent les attributions nécessaires à l'exercice de leurs missions et elles se trouvent investies, à leur place, des pouvoirs de décision et exécutif (principe d'exclusivité). Cependant, la loi du 13 août 2004 offre la possibilité aux EP de coopération intercommunale à fiscalité propre, qui en font la demande, le droit d'exercer certaines compétences attribuées aux régions et aux départements, pour le compte de ces collectivités et sous réserve de leur approbation.

Réponse pragmatique aux problèmes de gestion que rencontre l'ensemble des élus municipaux, outil de l'aménagement du territoire au plan national, la coopération intercommunale prépare la France à l'insertion européenne et à l'accélération des échanges économiques et humains.

La complexité de l'organisation territoriale française et ses conséquences

À de nombreux égards, l'organisation territoriale de la France contraste avec celle de ses principaux voisins européens. Elle connaît en effet une importante complexité, qui revêt différentes réalités.

Un enchevêtrement des compétences

La volonté des initiateurs des lois de décentralisation de 1982 et 1983 était d'établir des blocs de compétences pour chaque type de collectivité territoriale. Il s'agissait d'abord d'opérer une sorte de spécialisation des collectivités, en fonction du cadre supposé le meilleur pour assurer la gestion de tel ou tel domaine de l'action publique. Ensuite, le législateur entendait donner une certaine cohérence à l'action des entités territoriales, afin que les citoyens puissent avoir une idée relativement précise des responsabilités des différentes collectivités.

Or, cette volonté initiale s'est diluée. Ainsi, par exemple, en matière d'éducation, l'État, à travers le ministère de l'Éducation nationale, demeure compétent pour la définition des programmes, la région gère les lycées, les départements les collèges et les communes les écoles primaires.

Cet enchevêtrement de compétences a des effets négatifs. Il constitue d'abord une source, non seulement de nombreux contentieux, mais également d'inertie. Par ailleurs, il peut être considéré comme un facteur explicatif du désintérêt des citoyens pour la vie locale. En effet, comment se passionner pour le débat démocratique au niveau local, si l'on ne sait même pas ce dont chaque collectivité est responsable ?

Le nombre de niveaux d'administration en question

Ce ne sont pas moins de cinq niveaux qui sont intéressés à la conduite des politiques publiques dans l'hexagone : les communes, les départements, les régions, l'État, mais aussi l'Union européenne. Encore faudrait-il ajouter à cette liste, déjà fournie, les établissements publics de coopération intercommunale (EPCI), qui peuvent compliquer le jeu en se voyant attribuer d'importantes compétences normalement détenues par les communes.

Mais même en réduisant à cinq les niveaux d'administration en France, ce nombre apparaît encore élevé. Il l'est en tout cas davantage que celui des partenaires européens de la France.

Le morcellement communal

L'émiettement communal est un phénomène propre à la France. Celle-ci compte 36 783 communes en 2007, dont près de 32 000 ont moins de 2 000 habitants. La France rassemble à elle seule plus de 40 % des communes de l'Union européenne à 25.

Face à ce morcellement extrême, les pouvoirs publics ont cherché à limiter le nombre des communes. Mais cette initiative, qui a notamment pris la forme de la loi du 16 juillet 1971 sur les fusions et regroupements de communes, n'a pas rencontré un vif succès. Dans ces conditions, l'intercommunalité est apparue comme la solution la plus acceptable pour les communes. Mais là encore, le nombre de formules de coopération intercommunale offertes aux communes françaises est élevé : il existe quatre formes à fiscalité propre – communautés urbaines, de communes, d'agglomération, syndicat d'agglomération nouvelle –, et deux sans fiscalité propre – syndicats de communes et syndicats mixtes.

De plus, la légitimité démocratique des EPCI est un problème sensible. En effet, ces établissements se voient transférer un nombre croissant de compétences. Or, les conseillers de leurs assemblées ne sont pas élus au suffrage universel direct. Ce sont des délégués élus au sein des conseils municipaux des communes membres de l'EPCI. La Commission Mauroy de 2000 préconisait déjà l'élection au suffrage universel direct des conseillers communautaires à compter de 2007. Mais, des réticences sont alors apparues, notamment au Sénat, face à l'arrivée d'une nouvelle génération d'élus à la tête de groupements dotés de compétences et de moyens importants. Cette proposition a resurgi lors des débats autour de l'approfondissement de la décentralisation en 2003-2004, mais est restée lettre morte jusqu'à aujourd'hui.

Une démocratie locale atone

Des progrès ont cependant été accomplis en faveur d'un renforcement de la démocratie locale. La loi du 6 février 1992 relative à l'administration territoriale de la République constitue un tournant essentiel, puisque le terme « démocratie locale » est entré pour la première fois dans le droit positif. Cette loi importante accorde notamment à l'opposition locale un droit à l'information sur les affaires devant faire l'objet d'une délibération. Elle permet aussi, pour la première fois, de consulter la population locale sur les affaires d'intérêt communal. La loi du 27 février 2002 relative à la démocratie de proximité a introduit une réforme symboliquement essentielle : l'obligation, pour la majorité locale, de réserver une place à l'opposition dans les bulletins d'information des collectivités territoriales, trop souvent dévolus à une « hagiographie » de la politique engagée par les autorités en place. Enfin, la révision constitutionnelle du 28 mars 2003 a reconnu la possibilité, pour toutes les collectivités territoriales, de procéder à des référendums locaux décisionnels.

En dépit de ces progrès incontestables, la démocratie locale demeure néanmoins sans grand relief. Les causes en sont multiples. D'abord, les cadres d'exercice de la démocratie locale correspondent de moins en moins aux périmètres de gestion des problèmes locaux. Que l'on pense, par exemple, à l'élection des conseillers généraux au scrutin majoritaire uninominal à deux tours dans le cadre du canton, qui entraîne une sur-représentation du monde rural et une sous-représentation des composantes urbaines au sein des conseils généraux. On peut dès lors craindre une orientation des politiques départementales en direction du monde rural au détriment des composantes urbaines du territoire regroupant une population pourtant plus nombreuse. Par ailleurs, on souligne fréquemment que les droits d'accès à l'information des citoyens locaux – par exemple, possibilité d'assister aux délibérations du conseil municipal, de consulter les budgets de sa commune – affirmés depuis la loi du 6 février 1992 n'ont pas significativement amélioré leur accès aux données administratives et financières locales. En effet, ils n'apportent aucun remède à la technicité et à la complexité des documents proposés à la consultation. Enfin, le référendum local décisionnel n'entame pas réellement le monopole de décision des élus. Certes, l'article 72-1 de la Constitution a introduit la possibilité pour toutes les collectivités territoriales de recourir au référendum décisionnel, mais seul l'organe délibérant (ex : conseil municipal, général ou régional) de la collectivité peut prendre l'initiative d'organiser un tel référendum.

Quelles sont les différentes structures intercommunales ?

Les différentes structures intercommunales sont les suivantes :

Sans fiscalité propre	Avec fiscalité propre
Syndicats de communes Syndicats mixtes	Communautés urbaines Communautés de communes Communautés d'agglomération Syndicats d'agglomération nouvelle Districts (supprimés au 1er janvier 2002) Communautés de villes (supprimées au 1er janvier 2002)

Les syndicats de communes

Ils sont de plusieurs types :

– les **syndicats à vocation unique (SIVU)** créés par la loi du 22 mars 1890, sont une association de communes, même non limitrophes, se regroupant afin de gérer une seule activité d'intérêt intercommunal. Ils sont généralement

de taille réduite et les compétences les plus répandues concernent l'adduction, le traitement et la distribution d'eau, les activités scolaires et périscolaires, l'assainissement. En novembre 2006, on comptait 12 149 SIVU. C'est la forme la plus répandue de syndicats (SIVU, SIVOM et mixtes), car ils représentent 74 % des 16 399 syndicats ;
– les **syndicats à vocation multiple (SIVOM)**, créés par l'ordonnance du 5 janvier 1959, permettent aux communes de s'associer pour gérer plusieurs activités à la différence des SIVU. Les compétences les plus répandues concernent l'assainissement, la collecte et l'élimination des ordures ménagères, les activités scolaires et périscolaires, le tourisme et les équipements publics. En novembre 2006, on dénombrait 1 501 SIVOM, ce qui représente 9,2 % de l'ensemble des syndicats (SIVU, SIVOM et mixtes) ;
– les **syndicats à la carte** permettent à une commune de n'adhérer à un syndicat que pour une partie des compétences exercées par celui-ci.

Les syndicats mixtes, créés par le décret du 20 mai 1955, doivent comprendre au moins une collectivité et permettent l'association de communes avec des départements, des régions ou des établissements publics, à la différence des SIVU ou SIVOM n'associant que des communes entre elles. Ces associations sont créées en vue d'œuvres ou de services présentant une utilité pour chacun de ses membres notamment en matière de collecte ou d'élimination des ordures ménagères, de traitement ou distribution de l'eau, de tourisme. En novembre 2006, on en dénombrait 2 749 sur un total de 16 399 syndicats (SIVU, SIVOM et mixtes), soit 16,8 %.

Les communautés urbaines, créées par la loi du 31 décembre 1966, regroupent plusieurs communes formant un ensemble de plus de 500 000 habitants sur un espace d'un seul tenant et sans enclave.

La loi du 12 juillet 1999 a renforcé leurs compétences, elles sont chargées obligatoirement :
– du développement et de l'aménagement économique, social et culturel de l'espace communautaire ;
– de l'aménagement de l'espace communautaire ;
– de l'équilibre social de l'habitat sur le territoire communautaire ;

– de la politique de la ville dans la communauté ;
– de la gestion des services d'intérêt collectif ;
– de la protection et de la mise en valeur de l'environnement et de la politique du cadre de vie.

Les communautés urbaines peuvent exercer, après avoir passé une convention avec le département, tout ou partie de ses compétences dans le domaine de l'action sociale.

Au 1er janvier 2007, on comptait 14 communautés urbaines.

Les communautés de communes, créées par la loi du 6 février 1992, visent à organiser les solidarités nécessaires en vue de l'aménagement et du développement de l'espace et d'élaborer un projet commun. Elles étaient destinées, à l'origine, uniquement au milieu rural mais séduisent de plus en plus le milieu urbain. Elles regroupent plusieurs communes qui, depuis la loi de 1999, doivent être « d'un seul tenant et sans enclave ».

Elles exercent à la place des communes membres obligatoirement des compétences en matière :
– d'aménagement de l'espace ;
– d'actions de développement économique.

Elles exercent également des compétences optionnelles choisies parmi au moins un des domaines suivants :
– protection et mise en valeur de l'environnement ;
– politique du logement et du cadre de vie ;
– création, aménagement et entretien de la voirie ;
– construction, entretien et fonctionnement d'équipements culturels et sportifs et d'équipements de l'enseignement préélémentaire et élémentaire ;
– action sociale d'intérêt communautaire ;
– tout ou partie de l'assainissement.

Elles peuvent enfin, comme les communautés urbaines, exercer tout ou partie des compétences du département en matière d'action sociale, après avoir signé une convention avec lui.

Au 1er janvier 2007, on comptait 2 400 communautés de communes et anciens districts, transformés en communautés de communes.

Les communautés d'agglomération, créées par la loi du 12 juillet 1999, remplacent les communautés de ville. Elles associent plusieurs communes urbaines sur un espace sans enclave et d'un seul tenant, regroupant plus

de 50 000 habitants autour d'une ou plusieurs communes de plus de 15 000 habitants.
Elles exercent des compétences obligatoires en matière de :
- développement économique ;
- aménagement de l'espace communautaire ;
- équilibre social de l'habitat ;
- politique de la ville dans la communauté.
Elles exercent également au moins trois compétences, au choix, parmi les six suivantes :
- création ou aménagement et entretien de voirie et de parcs de stationnement d'intérêt communautaire ;
- assainissement ;
- eau ;
- protection et mise en valeur de l'environnement et du cadre de vie ;
- construction, aménagement, entretien et gestion d'équipements culturels et sportifs d'intérêt communautaire ;
- action sociale d'intérêt communautaire.
Elles peuvent également exercer pour le département tout ou partie de ses compétences dans le domaine de l'action sociale, après avoir conclu avec lui une convention.
Au 1er janvier 2007, on dénombrait 169 communautés d'agglomération.

Les syndicats d'agglomération nouvelle (SAN), créés par la loi du 13 juillet 1983, ont été mis en place pour répondre aux besoins des villes nouvelles créées dans les années 1970. Ils regroupent les communes constituant une agglomération nouvelle.
Ils ont des compétences en matière de programmation et d'investissement en urbanisme, logement, transports, réseaux divers et en matière de création de voies nouvelles et de développement économique.
Le processus de rationalisation des structures intercommunales, inauguré par la loi du 12 juillet 1999, a pour conséquence, à terme, la transformation des SAN en communautés d'agglomération.
Au 1er janvier 2007, on dénombrait encore 5 SAN.

Les districts ont disparu depuis le 1er janvier 2002. Selon les dispositions de la loi du 12 juillet 1999, ils sont transformés en communautés de communes, communautés d'agglomération ou communautés urbaines, selon les cas.

Créés par l'ordonnance du 5 janvier 1959, à l'origine pour intervenir en milieu urbain, ils ont été étendus par la loi du 31 décembre 1970 aux zones rurales. Ils étaient dotés de compétences déléguées par les communes, mais aussi de compétences obligatoires définies par la loi (la gestion des services de logement et des centres d'incendie et de secours).

▶▶ **Les communautés de villes** ont disparu depuis le 1er janvier 2002. Selon les dispositions de la loi du 12 juillet 1999, elles sont transformées en communautés d'agglomération ou de communes, selon les cas.

Créées par la loi du 6 février 1992, elles regroupaient plusieurs communes d'une agglomération de plus de 20 000 habitants. Elles n'ont jamais connu de succès. Il n'y eut pas plus de 5 communautés de villes.

Quelles sont les nouvelles compétences transférées aux collectivités en 2004 ?

La loi du 13 août 2004 relative aux libertés et responsabilités locales précise les modalités des nouveaux transferts de compétence aux différents échelons décentralisés. La plupart des dispositions de cette loi sont entrées en vigueur le 1er janvier 2005 et plus de soixante décrets d'application, simples ou en Conseil d'État, étaient prévus. La commune et le groupement de communes restent des niveaux relativement peu concernés par cette seconde vague de décentralisation. En revanche, la région, même si l'étendue de son pouvoir a été revue à la baisse, et surtout, le département se voient confier de nombreuses nouvelles responsabilités. De plus, ces trois niveaux de collectivités territoriales, ainsi que leurs groupements, peuvent désormais gérer, s'ils en font la demande et à titre expérimental, les fonds structurels européens. Le tableau ci-après récapitule les principales évolutions.

Niveau de collectivité / Compétences		Transférées avant la loi du 13 août 2004	Transférées par la loi du 13 août 2004
Commune et groupement de communes	Urbanisme et transports	– Élaboration des plans locaux d'urbanisme et des schémas de cohérence territoriale ; – Délivrance du permis de construire ; – Création, aménagement, exploitation des ports de plaisance.	– Si elles l'ont demandé avant le 1er janvier 2006, propriété, aménagement et gestion de tout port non autonome relevant de l'État situé sur son territoire ; – Création, aménagement et exploitation des ports de commerce et de pêche qui leur sont transférés ; – Si elles se sont portées candidates avant le 1er juillet 2006, aménagement, entretien et gestion d'aérodromes civils.
	Enseignement	– Propriété, construction, entretien et équipement des écoles publiques ; – Intervention dans la définition de la carte scolaire.	Possibilité de créer, à titre expérimental pour cinq ans, des établissements publics locaux d'enseignement primaire.
	Action économique	– Participation possible au financement des aides directes aux entreprises dans le cadre d'une convention avec la région ; – Attribution d'aides indirectes aux entreprises.	– Possibilité de mettre en œuvre leurs propres régimes d'aides après l'accord de la région ; – Possibilité d'instituer un office de tourisme.
	Logement	Définition d'un programme local de l'habitat.	– Délégation possible au maire ou au président d'un EPCI de la gestion du contingent préfectoral ; – Possibilité de participation à la construction, entretien et équipement du logement des étudiants ; – Lutte contre l'insalubrité à titre expérimental.
	Action sanitaire et sociale	Action complémentaire à celle du département avec les centres communaux d'action sociale (CCAS).	– Possibilité d'exercer des activités en matière de vaccination, de lutte contre la tuberculose, la lèpre, le sida et les infections sexuellement transmissibles ; – Possibilité de gérer totalement ou partiellement le fonds d'aide aux jeunes (FAJ).
	Culture	Responsabilité des bibliothèques de prêts, conservatoires et musées municipaux.	– Organisation et financement de l'enseignement artistique initial ; – Peuvent devenir propriétaire de monuments classés ou inscrits appartenant à l'État ou au Centre des monuments nationaux.

Niveau de collectivité	Compétences	Transférées avant la loi du 13 août 2004	Transférées par la loi du 13 août 2004
Département	Action sociale, solidarité, logement	– Sauf exception, a la charge de l'ensemble des prestations d'aide sociale : aide sociale à l'enfance, aide aux handicapés, insertion sociale et professionnelle (gestion du RMI-RMA depuis le 1er janvier 2004), aide aux personnes âgées; – Protection sanitaire de la famille et de l'enfance.	– Définit et met en œuvre la politique d'action sociale; – Possibilité d'exercer des activités en matière de vaccination, de lutte contre la tuberculose, la lèpre, le sida et les infections sexuellement transmissibles; – Création dans chaque département, financement et gestion de nouveaux FAJ; – Expérimentation dans certains départements de compétences élargies en matière de protection judiciaire de la jeunesse; – Création dans chaque département, gestion et financement de nouveaux fonds de solidarité pour le logement.
	Aménagement de l'espace, équipement	– Entretien et investissement concernant la voirie départementale; – Organisation des transports routiers non urbains de personnes et des transports scolaires hors du périmètre urbain; – Création, équipement et gestion des ports maritimes de commerce et de pêche; – Élaboration d'un programme d'aide à l'équipement rural; – Protection, gestion et ouverture au public des espaces naturels sensibles boisés ou non; – Donne son avis lors de l'élaboration du schéma régional d'aménagement et de développement du territoire (SRADT) par la région.	– Gestion d'une partie (environ 15 000 km) des routes nationales; – Si candidats avant le 1er juillet 2006 : aménagement, entretien et gestion d'aérodromes civils; – S'ils l'ont demandé avant le 1er janvier 2006, propriété, aménagement et gestion de tout port non autonome relevant de l'État situé sur son territoire.
	Éducation, culture, patrimoine	– Construction, entretien, équipement et financement des collèges; – Responsabilité des bibliothèques centrales de prêt; – Gestion et entretien des archives et des musées départementaux.	– Propriété du patrimoine immobilier des collèges; – Définition des secteurs de recrutement des collèges après avis du conseil départemental de l'Éducation nationale; – Responsabilité du recrutement et de la gestion des personnels techniciens, ouvriers et de service (TOS) des collèges; – Élaboration d'un schéma départemental de développement des enseignements artistiques dans les domaines de la musique, de la danse et de l'art dramatique; – Gestion, à titre expérimental pour quatre ans, des crédits d'entretien et de restauration du patrimoine classé ou inscrit n'appartenant pas à l'État ou à ses établissements publics; – Peuvent devenir propriétaire de monuments classés ou inscrits appartenant à l'État ou au Centre des monuments nationaux.

Département	Action économique	– Participation possible au financement des aides directes aux entreprises dans le cadre d'une convention avec la région ; – Attribution d'aides indirectes aux entreprises.	Possibilité de mettre en œuvre leurs propres régimes d'aides après l'accord de la région.
Région	Développement économique (domaine dans lequel la région joue un rôle de coordination)	– Détermine le régime des aides directes et les attribue (primes régionales à l'emploi, à la création d'entreprise et prêts et avances à taux bonifiés) ; – Mise en œuvre et attribution des aides indirectes (garanties d'emprunt aux entreprises, exonération de la taxe professionnelle).	– Suppression de la distinction entre aides directes et indirectes aux entreprises, remplacée par la distinction entre aides économiques et aides à l'immobilier ; – Le conseil régional définit le régime des aides économiques aux entreprises et décide de leur octroi, sauf exception ; – Élaboration d'un schéma régional de développement économique à titre expérimental pour cinq ans.
	Aménagement du territoire et planification	– Participation à l'élaboration de la politique nationale d'aménagement et de développement durable ; – Élaboration d'un schéma régional d'aménagement et de développement du territoire (SRADT) ; – Signature de contrats de plan État-région (contrats de projets depuis 2007), notamment pour la mise en œuvre du SRADT ; – Élaboration d'un schéma régional de transport ; – Organisation des services de transport routier non urbain des personnes et des transports ferroviaires de la région, sauf en Île-de-France où le syndicat des transports d'Île-de-France (STIF) remplit ces fonctions.	– Élaboration d'un schéma régional des infrastructures et des transports (anciennement schéma régional de transport) ; – Si candidates avant le 1er juillet 2006 : aménagement, entretien et gestion d'aérodromes civils ; – Si elles l'ont demandé avant le 1er janvier 2006, propriété, aménagement et gestion de tout port non autonome relevant de l'État situé sur son territoire.
	Éducation, formation professionnelle	– Construction, entretien, équipement et financement des lycées, établissements d'éducation spéciale et lycées professionnels maritimes ; – Financement d'une part significative des établissements universitaires ; – Élaboration du plan régional de développement des formations professionnelles ; – Adoption d'un programme d'apprentissage et de formation professionnelle continue.	– Propriété du patrimoine immobilier des lycées, établissements d'éducation spéciale et lycées professionnels maritimes ; – Responsabilité du recrutement et de la gestion des personnels techniciens, ouvriers et de service (TOS) des lycées ; – Définition et mise en œuvre de la politique régionale d'apprentissage et de formation professionnelle des jeunes et des adultes ; – Adoption d'un programme d'apprentissage et de formation professionnelle continue désormais dans le cadre du plan régional de développement des formations professionnelles.
	Culture	– Organisation et financement des musées régionaux ; – Conservation et mise en valeur des archives régionales.	– Responsabilité de l'inventaire général du patrimoine culturel ; – Possibilité de gérer, à titre expérimental, les crédits d'entretien et de restauration du patrimoine classé ou inscrit n'appartenant pas à l'État ou à ses établissements publics ; – Peuvent devenir propriétaire de monuments classés ou inscrits appartenant à l'État ou au Centre des monuments nationaux ; – Organisation et financement du cycle artistique professionnel initial.
	Santé		– Possibilité d'exercer des activités en matière de vaccination, de lutte contre la tuberculose, la lèpre, le sida et les infections sexuellement transmissibles ; – Si elles en font la demande, participation, à titre expérimental pour quatre ans, au financement et à la réalisation d'équipements sanitaires.

Le contrôle des collectivités territoriales

Les lois de décentralisation ont profondément modifié les relations entre l'État et les collectivités territoriales. La loi du 2 mars 1982 a ainsi supprimé tout contrôle *a priori* sur les actes pris par les collectivités. Ceux-ci sont désormais exécutoires de plein droit dès leur publication ou leur notification et leur transmission au préfet, représentant de l'État dans le département. Les contrôles constituent néanmoins le complément indispensable des nouvelles responsabilités confiées.

Un contrôle de légalité en quête d'équilibre

L'article L. 2131-6 du Code général des collectivités territoriales dispose que le représentant de l'État dans le département défère au tribunal administratif les actes qu'il estime contraires à la légalité dans les deux mois suivant leur transmission.

Un nombre important d'actes examinés mais peu de recours

En 2006, 6 347 752 actes ont été transmis aux autorités chargées du contrôle de légalité. Celles-ci ont adressé 81 803 lettres d'observation aux auteurs des actes, alors que le nombre de déférés devant le tribunal administratif s'est élevé à 1 411.
Dans de nombreux cas, les préfets se désistent après réformation ou retrait de l'acte entaché d'illégalité. Sur dix ans (1990-2000), le nombre d'actes transmis a augmenté de 39,6 %, alors que le nombre d'observations s'est accru de 21,9 % et le nombre de recours déposés de 11,6 %.

Une volonté de renforcement du contrôle de légalité

Depuis la loi du 4 janvier 1992, complétée par la loi du 29 janvier 1993 relative à la prévention de la corruption et à la transparence de la vie économique et des procédures publiques, dite « loi Sapin », les préfets peuvent utiliser la procédure du référé précontractuel. Elle permet d'obtenir du juge l'arrêt d'une procédure de passation d'un marché ou d'une délégation de service public en cours de déroulement, dans l'hypothèse où les règles de publicité et de concurrence n'ont pas été respectées. Le décret n° 93-1080 du 9 septembre1993 a énuméré avec précision les documents que les collectivités doivent transmettre au préfet, avec les contrats soumis au contrôle de légalité. Cette liste d'actes soumis à l'obligation de transmission a été réduite par la loi du 13 août 2004 relative aux libertés et responsabilités locales. Cette modification s'explique par la volonté de recentrer le contrôle de légalité, souvent jugé insuffisamment efficace, sur les principaux enjeux. À sa suite, la circulaire du 17 janvier 2006, concernant la modernisation du contrôle de légalité, recommande aux préfets de concentrer le contrôle sur trois priorités : l'intercommunalité, la commande publique, l'urbanisme et l'environnement. De plus, la loi du 13 août 2004 avait déjà modernisé ce contrôle en autorisant la transmission électronique des actes des collectivités territoriales. Ces deux apports législatifs figuraient parmi les propositions formulées par la mission interministérielle sur l'audit du contrôle de légalité dans son rapport de 2003. Enfin, citons également l'expérimentation depuis 2002 à Lyon d'un pôle interrégional d'appui au contrôle de légalité chargé de fournir une expertise juridique.

Par ailleurs, le contrôle de légalité, acte administratif, ne saurait exonérer l'élu ou le personnel d'une collectivité territoriale dans le domaine des responsabilités pénales.

Un contrôle budgétaire et financier très technique

Les actes budgétaires des collectivités et des établissements publics locaux, soumis d'abord au contrôle de légalité, font ensuite l'objet d'un contrôle budgétaire. Il peut conduire à la réformation de l'acte en cause, non à son annulation comme le contrôle de légalité. En 2001, les CRC ont été saisies 873 fois dans le cadre du contrôle budgétaire, dont 37 % en raison de la non-inscription de dépenses obligatoires. En 2003, plus de 40 000 organismes rentrent dans le champ de compétence des chambres régionales des comptes (CRC) : 10 389 collectivités territoriales et 30 696 établissements publics, locaux ou spécialisés. Les quelques 37 000 collectivités territoriales ne sont donc pas toutes soumises à ce contrôle, en raison du seuil instauré par la loi du 5 janvier 1988, dite « d'amélioration de la décentralisation » : les comptes des communes de moins de deux mille habitants, et dont le montant des recettes ordinaires est inférieur à deux millions de francs (un peu plus de 300 000 euros), sont apurés par le trésorier-payeur général. Le nombre des collectivités territoriales soumises à ce contrôle a sensiblement diminué en 2002, du fait de la loi du 21 décembre 2001 relative aux CRC et à la Cour des comptes qui a relevé les seuils à 750 000 euros de recettes ordinaires et 3 500 habitants.

Les quatre points du contrôle budgétaire

– calendrier à respecter : adoption du budget primitif avant le 31 mars de l'exercice (sauf année de renouvellement des assemblées délibérantes : délai jusqu'au 15 avril) ;
– règle de l'équilibre réel : section de fonctionnement et section d'investissement doivent être respectivement votées en équilibre (budget primitif et compte administratif) ;
– sincérité des documents budgétaires ;
– inscription des dépenses obligatoires (les dettes exigibles, et les dépenses expressément décidées par la loi).

Le contrôle juridictionnel

La loi du 2 mars 1982 énonce clairement le principe de contrôle juridictionnel : la CRC juge, dans son ressort, l'ensemble des comptes des comptables publics. Elle règle et apure les comptes par des jugements : c'est là la procédure normale. L'objet du contrôle consiste à vérifier non seulement que les comptes sont réguliers, mais surtout que le comptable a bien exercé l'ensemble des contrôles auxquels il est tenu, notamment quant à l'origine et au montant des recettes et des dépenses.

L'impact des lettres d'observations des CRC

À l'occasion de leurs contrôles, les vingt-quatre CRC formulent de véritables appréciations sur la situation financière des collectivités.
La chambre a compétence pour examiner la gestion des collectivités ou organismes du secteur public local. Elle s'assure de la régularité juridique et financière de la gestion locale, les magistrats formulant deux sortes d'observations : dénonciation d'irrégularités flagrantes, mise en évidence de l'écart entre un projet adopté et ses résultats concrets. Trois thèmes majeurs d'examen ressortent des lettres : utilisation équilibrée des finances publiques ; gestion maîtrisée des services publics ; respect des grands principes de la fonction publique.
Cette mission peut cependant répondre imparfaitement aux besoins, car les chambres adressent leurs lettres d'observations définitives de deux à cinq ans après la clôture d'un exercice. Ces lettres sont communicables à tout citoyen.

Les nouvelles formes de contrôles

Le mode de fonctionnement des CRC s'est adapté. La loi dite « d'amélioration de la décentralisation » (5 janvier 1988) a ainsi imposé un entretien préalable entre le magistrat rapporteur et le responsable de la collectivité (lors du contrôle, mais aussi avec les responsables de la période concernée par le contrôle). Les dispositions dans ce domaine vont vers une amélioration du contrôle externe (pratiques homogènes sur tout le territoire, confidentialité). Les contrôles internes (pratiques des élus et fonctionnaires, conseil juridique...) s'affinent eux aussi. Les CRC s'attachent à la vérification de l'efficience des politiques publiques. S'il ne leur appartient pas de se prononcer sur les décisions même des collectivités, elles s'assurent que celles-ci ont adopté une organisation structurée de leurs services et défini des objectifs clairs ; un contrôle et un suivi par le biais de tableaux de bord ; une évaluation des mesures mises en œuvre.

CHAPITRE 4

LES AUTRES STRUCTURES ADMINISTRATIVES

Que sont les services à compétence nationale ?

▶▶ Ces services se situent **à mi-chemin entre les administrations centrales et les administrations déconcentrées**. En effet, il s'agit de services dont les attributions ont un caractère national – à la différence des services déconcentrés –, et dont l'exécution ne peut être déléguée à un échelon territorial. Mais ils se distinguent également des services centraux, car leurs missions ont un « caractère opérationnel » et, pour ceux placés sous l'autorité d'un ministre, ils bénéficient d'une certaine autonomie.

▶▶ Les services à compétence nationale ont été **mis en place par le décret du 9 mai 1997** dans un souci de réorganisation de l'administration. Le texte venait modifier la loi du 6 février 1992 relative à l'administration territoriale de la République, qui ne distinguait que deux types d'administrations : les administrations centrales et déconcentrées. Ils ont été envisagés comme des outils permettant d'assumer des missions de conception, d'animation et d'évaluation des politiques publiques.

Ainsi, ils remplissent des fonctions de gestion, d'études techniques, des activités de production de biens ou de prestations de services. On peut citer le service d'études techniques des routes et des autoroutes (SETRA), le service central d'état civil, ou les Archives nationales depuis le 1er janvier 2007.

▶▶ Ils sont **institués par décret en Conseil d'État**, lorsqu'ils sont rattachés à un ministre, **ou par arrêté ministériel**, lorsqu'ils dépendent d'un directeur d'administration centrale, d'un chef de service ou d'un sous-directeur.

Qu'est-ce qu'un établissement public ?

Un établissement public (EP) est une personne morale de droit public disposant d'une autonomie administrative et financière afin de remplir une mission d'intérêt général, précisément définie, sous le contrôle de la collectivité publique dont il dépend (État, région, département ou commune). Il dispose donc d'une certaine souplesse qui lui permet de mieux assurer certains services publics. Il ne doit pas être confondu avec un établissement d'utilité publique qui relève du droit privé.

Les EP sont donc **soumis à trois principes** :
– **l'autonomie** : dotée de la personnalité morale, leur organisation est très variable (conseil d'administration, président, directeur...) et ils disposent d'un budget propre (subventions de l'État ou des collectivités territoriales, redevances des usagers, emprunts...);
– **le rattachement à un niveau de l'administration** (État, région, département ou commune) : afin de compenser leur autonomie en les soumettant au contrôle de ce niveau d'administration dont les modalités peuvent varier. On distingue ainsi des établissements publics nationaux, rattachés à l'État, et des établissements publics locaux rattachés à une commune (comme les caisses des écoles et les centres communaux d'action sociale), un département ou une région. Mais l'identité de l'administration de rattachement ne détermine pas la zone géographique d'action de l'établissement public. Ainsi un établissement public local peut avoir un champ d'action à l'échelle nationale;
– **la spécialité** : les compétences des organes de l'EP se limitent à des compétences clairement énumérées.

Les domaines d'intervention des établissements publics sont variés, mais la plupart remplissent une mission de nature économique ou sociale. Il peut s'agir du domaine de la santé (ex : Agence française du sang), de l'enseignement (ex : universités, lycées), de la culture (certains musées nationaux : le Louvre), de l'économie (ex : Caisse des dépôts et consignations, SNCF).

Enfin, **on distingue établissement public administratif (EPA) et établissement public à caractère industriel ou commercial (EPIC)**, en fonction de la nature de leur activité.

Que sont les établissements publics administratif (EPA) et industriel et commercial (EPIC) ?

Les EPA et EPIC sont les deux régimes juridiques possibles d'un établissement public (EP). Ils se distinguent par leur activité : service public administratif, pour les EPA, ou service public industriel et commercial, pour les EPIC.

Pour différencier ces activités et en déterminer le caractère éventuellement marchand, trois critères sont examinés : l'objet de l'établissement (missions traditionnelles de souveraineté ou d'action sociale pour les EPA, production et commercialisation de biens et services pour les EPIC), ses ressources (surtout redevances payées par les usagers pour les EPIC), ses modalités de fonctionnement (identiques à ceux d'une entreprise privée ou non).

Sont ainsi des EPA, les caisses nationales de la Sécurité sociale, l'ANPE ou quelques musées nationaux (ex : Le Louvre, Orsay, Versailles) et des EPIC, la RATP ou encore les théâtres nationaux.

Les EPA et les EPIC ne sont pas soumis de la même façon au droit public. Ainsi, un **EPA** relève en principe du droit public administratif : son personnel est composé d'agents publics, ses décisions sont des actes administratifs et les conflits relèvent de la justice administrative sauf exception.

En revanche, un **EPIC** est largement régi par le droit privé : son personnel est soumis en principe au Code du travail et s'assimile très largement aux salariés du secteur privé, et les contrats qu'ils passent avec leurs usagers relèvent du droit privé.

Néanmoins, les frontières sont moins étanches qu'il n'y paraît.

Enfin, pour distinguer les EPA et les EPIC, certains auteurs ont créé la distinction entre « activités de plus grand service » et « activités de plus grand profit ». Néanmoins, ces expressions ne sont pas par elles-mêmes très révélatrices.

Les universités et les centres d'action sociale : des exemples d'établissements publics national et local

Les universités et les centres d'action sociale illustrent la diversité de la catégorie juridique des établissements publics.

Les universités

La première université française a été créée à Paris à la fin du XIIe siècle. Mais, le statut moderne des universités a été fixé par la loi du 10 juillet 1896. La crise de mai 1968 a conduit ensuite à l'adoption d'un nouveau statut des universités défini par la loi d'orientation de l'enseignement supérieur du 12 novembre 1968, dite loi Edgar Faure. Cette loi a créé une nouvelle catégorie d'établissements publics : les « établissements publics à caractère scientifique et culturel ». La loi Savary du 26 janvier 1984 a ensuite changé leur appellation en « établissements publics à caractère scientifique, culturel et professionnel » (EPSCP). Enfin, la loi du 10 août 2007 relative aux libertés et responsabilités des universités a apporté quelques modifications à leur mode de fonctionnement.

En réalité, les universités relèvent de la catégorie, plus vaste, des établissements publics à caractère administratif (EPA). En outre, **elles constituent des établissements publics nationaux**, car elles participent au service public de l'enseignement supérieur et sont rattachées à l'État *via* le ministère du même nom.

Les missions confiées aux universités sont nombreuses, puisqu'elles englobent à la fois la formation initiale des étudiants, mais aussi la formation continue, la recherche et sa valorisation, l'orientation et l'insertion professionnelle, la diffusion de la culture, la coopération internationale.

Les universités jouissent de la personnalité morale et d'une autonomie à la fois pédagogique, scientifique, administrative et financière. Cette autonomie a néanmoins une limite dès lors que les personnels, enseignants ou non, sont souvent des fonctionnaires de l'État et que le recteur d'académie – chancelier des universités et représentant du ministre de l'Éducation nationale et de l'ensemble du gouvernement (dans ce cas, ce n'est pas le préfet) – exerce un contrôle de tutelle sur les décisions et délibérations des EPSCP à caractère réglementaire. En effet, il peut saisir le tribunal administratif en cas de décision irrégulière. Dans le même temps, la gestion de ces établissements publics doit être démocratique et, de ce fait, impliquer les enseignants, les autres personnels, les étudiants et des personnalités extérieures.

Ces exigences se reflètent dans **l'organisation des universités**. Leur autonomie leur permet de déterminer leur statut et structure internes (nombre d'unités de formation et de recherche – UFR – par exemple). Cependant, elles comprennent toutes un organe délibératif (conseil d'administration) et un organe exécutif (président), tous deux assistés par un conseil scientifique et par un conseil des études et de la vie universitaire (CEVU). Enfin, il existe un secrétaire général, qui est nommé par le ministre chargé de l'Enseignement supérieur, qui gère l'université sous la direction du président.

Le **président de l'université** est élu, depuis la réforme de 2007, à la majorité absolue par les membres du conseil d'administration pour un mandat de 4 ans renouvelable une fois. Il dirige l'établissement et dispose à cet effet des pouvoirs les plus larges (gestion financière, maintien de l'ordre, autorité sur les personnels de l'université). Il préside le conseil d'administration, le conseil scientifique et le CEVU.

Le **conseil d'administration** (CA) a une composition variable. Il comporte, depuis 2007, 20 à 30 membres : 8 à 14 enseignants-chercheurs, 3 à 5 représentants des étudiants, 2 ou 3 représentants du personnel non enseignant, 7 ou 8 personnalités extérieures. Les personnalités extérieures sont nommées par le président et comprennent au moins un chef d'entreprise ou cadre dirigeant, un acteur du monde économique et social et deux ou trois représentants des collectivités territoriales, dont un du conseil régional. Par ailleurs, le recteur assiste ou se fait représenter aux séances du CA. De manière assez classique au sein d'un établissement public, le CA détermine, par ses délibérations, la politique de l'établissement, vote le budget, fixe la répartition des emplois au sein de l'établissement, autorise également le président à *ester* en justice.

Le **conseil scientifique** propose pour sa part au conseil d'administration les orientations et la répartition des crédits de recherche. Il comprend, depuis la réforme de 2007, 20 à 40 membres répartis entre 60 à 80 % de représentants des personnels, 10 à 15 % de représentants des doctorants, 10 à 30 % de personnalités extérieures.

Quant au **CEVU**, il est consulté notamment sur les orientations en matière d'enseignement, les projets de nouvelles filières et sur les mesures de nature à améliorer les conditions de vie et de travail des étudiants. Il comprend également 20 à 40 membres répartis entre 75 à 80 % de représentants à part égale des enseignants-chercheurs et des étudiants, 10 à 15 % de représentants des autres personnels et 10 à 15 % de personnalités extérieures.

Les centres communaux ou intercommunaux d'action sociale

Depuis longtemps, les communes avaient organisé l'aide aux plus nécessiteux en se dotant de bureaux d'aide sociale (décret-loi du 23 novembre 1953) avec la qualité d'établissements publics communaux, qui succédaient aux bureaux de bienfaisance, créés sous la Révolution, et aux bureaux d'assistance, créés en 1893. Ces bureaux d'aide sociale sont devenus, depuis la loi du 6 janvier 1986, des centres communaux d'action sociale (CCAS) ou ensuite, avec le développement de l'intercommunalité, des centres intercommunaux d'action sociale (CIAS).

Ce sont des **établissements publics administratifs communaux ou intercommunaux**. Cette qualification implique qu'ils jouissent d'une certaine autonomie, qui les rendent mois sensibles aux évolutions politiques de la, ou des, commune(s). Par ailleurs, les CCAS de Paris, Lyon et Marseille sont dotés d'un statut dérogatoire au droit commun en raison de leur taille.

Le CCAS est géré par un conseil d'administration, présidé, suivant le cas, de plein droit par le maire de la commune, qui constitue également l'organe exécutif du CCAS, ou par le président de l'établissement public de coopération intercommunale (EPIC). Le conseil comprend, en nombre égal, des membres élus en son sein par le conseil municipal (pour les CCAS) ou par l'assemblée délibérante de l'EPIC (pour les CIAS), et des personnes qualifiées dans le domaine social, nommées par le maire ou le président de l'EPIC. Parmi ces derniers membres, doivent obligatoirement figurer un représentant des associations familiales, un représentant des associations de personnes handicapées, un représentant des associations de personnes âgées et un représentant des associations luttant contre l'exclusion.

La mission confiée aux CCAS et aux CIAS est vaste. Selon le Code de l'aide sociale, ils animent une **action générale de prévention et de développement social dans la commune**, en liaison étroite avec les institutions publiques et privées. Ce faisant, ils peuvent intervenir sous forme de prestations (dont certaines peuvent d'ailleurs être remboursables). On peut citer maints exemples : ainsi les CCAS ou CIAS participent à l'instruction des demandes en matière de revenu minimum d'insertion, en les transmettant au conseil général, ou d'allocation personnalisée d'autonomie, en délivrant les dossiers de demande ; ils gèrent des équipements collectifs (ex : crèches, garderies ou maisons de retraite) ; ils apportent leur soutien à des actions sociales présentant un intérêt communal et engagées par le milieu associatif.

Qu'appelle-t-on démembrement de l'administration ?

L'expression « démembrement de l'administration » est apparue dans un rapport de 1960-1961 de la Cour des comptes, pour désigner la **tendance de l'État à confier certaines de ses tâches à une institution de droit privé, jouissant d'un régime juridique plus souple**. L'État n'est pas la seule personne morale de droit public à avoir recours à cette technique : les collectivités territoriales et certains établissements publics (ex : universités) sont aussi concernés.

Les démembrements de l'administration peuvent prendre plusieurs formes :
- la plus fréquente est l'association : car en constituer une est très rapide, son régime juridique et son fonctionnement quotidien sont aussi très souples ;
- un groupement d'intérêt économique : son régime juridique a été fixé par l'ordonnance du 23 septembre 1967 (intégrée en 2000 au Code de commerce). Personne morale de droit privé, il a pour but de développer l'activité économique de ses membres ;
- les fondations : sont très réglementées et moins utilisées ;
- les sociétés : sont très rarement utilisées.

Le recours à cette technique est justifié par deux principaux objectifs. Le premier et le plus fréquemment affiché est l'amélioration de l'efficacité de l'action administrative, les administrations elles-mêmes étant gênées par la rigidité des règles du droit public. Le second objectif, plus rarement évoqué, est de faire coopérer personnes publiques et personnes privées.

Ce procédé est néanmoins critiqué. D'abord, échapper aux règles strictes du droit public ne semble pas toujours une bonne chose, car certaines semblent essentielles (ex : celles de la comptabilité publique pour contrôler l'emploi des deniers publics). Par ailleurs, l'efficacité du procédé n'est pas toujours démontrée : l'activité d'un démembrement peut continuer de recouper celle d'un service administratif, ce qui est une source de dilution des responsabilités. Enfin, le contrôle de l'administration sur ces démembrements apparaît insuffisant.

Qu'est-ce qu'une association ?

Une association est un groupement de personnes volontaires réunies autour d'un projet commun ou partageant des activités, mais **sans chercher à réaliser de bénéfices**. Elle peut avoir des buts très divers (sportif, défense des intérêts des membres, humanitaire, promotion d'idées ou d'œuvres...).

La liberté d'association n'a été réellement acquise qu'avec la loi Waldeck-Rousseau du 1er juillet 1901 sur le contrat d'association. Pour créer une association, il suffit qu'au moins deux personnes se mettent d'accord sur son objet. Ils en rédigent les statuts qui précisent l'objet, les organes dirigeants et la personne habilitée à représenter l'association, et indiquent le siège social ou son adresse.

Il existe deux principaux types d'associations :
– **l'association « simple »** non déclarée en préfecture. Elle a une existence juridique, mais ne peut posséder de patrimoine ni agir en justice ;
– **l'association déclarée** en préfecture a la personnalité juridique. Elle peut donc posséder un patrimoine et agir en justice. Certaines d'entre elles disposent du statut particulier d'associations **reconnues d'utilité publique** par décret en Conseil d'État. Leur objet est jugé d'intérêt général (ex : lutte contre certaines maladies). Cette reconnaissance leur permet de recevoir des dons et des legs, mais elles doivent en contrepartie présenter de sérieuses garanties et sont soumises à un contrôle administratif plus strict, notamment de la part de la Cour des comptes.

De manière générale, **toutes les associations quel que soit leur statut sont soumises à un contrôle** qui peut prendre plusieurs formes. S'agissant des associations déclarées, la légalité de leurs statuts et de leur objet est vérifiée. En effet, la loi du 1er juillet 1901 permet la dissolution judiciaire notamment d'une association fondée sur une cause ou en vue d'un objet illicite. Il existe également une possibilité de dissolution administrative, par décret pris en Conseil des ministres, en vertu de la loi du 10 janvier 1936 sur les associations s'apparentant à des groupes de combat ou des milices par leur caractère violent et anti-républicain. Par ailleurs, les associations autorisées à recevoir des dons sont contrôlées par la Cour des comptes. Enfin, les associations dépourvues de personnalité juridique peuvent être poursuivies pour des agissements contraires au Code pénal (ex : des sectes ayant le caractère d'association de fait).

GIP, GIE, fondation : quelles différences ?

Les groupements d'intérêt public (GIP) sont des personnes morales de **droit public** – à caractère administratif ou industriel et commercial –, tandis que **les groupements d'intérêt économique (GIE) et les fondations** sont des personnes morales de **droit privé**. Par ailleurs, les GIP et les GIE ont un objet relativement strictement défini à la différence des fondations.

- **Les GIP** sont apparus dans la loi du 15 juillet 1982 sur la recherche et se sont ensuite étendus à d'autres domaines (ex : enseignement, sport, action sanitaire et sociale). Ils ont pour objet de favoriser la coopération des personnes morales publiques et privées, qu'il regroupe en son sein, pour gérer des équipements ou des activités d'intérêt commun. Ils peuvent être rapprochés des établissements publics qu'ils concurrencent. Le Conseil d'État, dans une étude de 1996, a reconnu leur utilité tout en souhaitant une clarification de leur statut. On peut citer comme exemples, les agences régionales d'hospitalisation ou les maisons des services publics.

- **Les GIE** ont été créés par l'ordonnance du 23 septembre 1967. Ils permettent également la coopération entre personnes publiques et privées. Leur objet est de faciliter ou de développer l'activité économique de ses membres, sans toutefois réaliser des bénéfices sauf à titre accessoire. Ainsi, l'organisation d'un colloque par un GIE, comprenant en son sein une ou des universités, peut éventuellement générer des bénéfices, qui sont alors réinvestis dans l'activité principale du groupement.

- **Une fondation** est une personne morale de droit privé à but non lucratif, comme les associations. Il s'agit d'affecter des biens à la réalisation d'une tâche ou d'une œuvre d'intérêt général dans un but désintéressé (ex : nombreux hôpitaux, la « Cité universitaire » à Paris) grâce à une libéralité (donation, legs). Un décret peut lui accorder la personnalité juridique en la déclarant d'utilité publique. Les fondations ont été, ces dernières années, encouragées par plusieurs textes, notamment la loi du 4 juillet 1990 créant les fondations d'entreprise et celle du 1er août 2003 sur le mécénat, les associations et les fondations.

Les remises en cause de l'établissement public

On parle, depuis au moins vingt ans, d'une « crise de l'établissement public ». Ce constat résulte de plusieurs phénomènes, qui tous révèlent les insuffisances de la formule de l'établissement public.

La confusion des règles gouvernant les EPA et les EPIC

Les deux types d'établissements – établissements publics administratifs (EPA) et établissements publics industriel et commercial (EPIC) – tendent de plus en plus à se confondre, ce qui brouille la notion même d'établissement public.

Depuis longtemps déjà existent **des établissements mixtes**, c'est-à-dire qui assurent à la fois des missions de service public administratif et de service public industriel et commercial. Il n'y a là rien de très grave car, le plus souvent, ces établissements ont une nature dominante. Ainsi, on peut citer l'exemple des ports autonomes qui exercent ces deux types de missions et qui sont gérés comme des EPIC.

Le mélange des règles des deux catégories est plus gênant. On a créé des **organismes hybrides** investis d'une mission uniquement administrative mais qualifiés, par la loi ou un décret, d'EPIC en raison du caractère plus souple de son mode de gestion qu'on peut appliquer alors. Dans le même temps, leurs personnels bénéficient, malgré cette qualification d'EPIC et donc de référence au droit privé, de la qualité d'agents publics. C'est le cas de l'Office national des forêts, créé par une loi de 1964 et mis en place en 1966, qui est chargé de la gestion et de l'équipement des forêts et terrains à boiser ou à restaurer appartenant à l'État.

Reste alors l'altération la plus grave : la **fausse qualification**. Il s'agit de l'hypothèse dans laquelle le créateur de l'établissement le qualifie expressément d'industriel et commercial alors qu'il n'en a ni l'objet, ni le statut, ni même le mode de financement. Une telle hypothèse a été mise en évidence par le Tribunal des conflits dans son célèbre arrêt *Société d'approvisionnements alimentaires* du 24 juin 1968. Était en cause dans cette décision le Fonds d'organisation et de régularisation des marchés agricoles (FORMA).

La remise en cause du principe de spécialité

Les établissements publics sont traditionnellement gouvernés par le principe de spécialité. Ils ont un objet précisément défini et doivent, en principe, s'y limiter.

Néanmoins, la jurisprudence interprète de manière très souple ce principe. En effet, il a été considéré, notamment pour les EPIC, qu'une interprétation trop stricte du principe de spécialité serait peu adaptée aux logiques financières du monde économique, qui peuvent nécessiter la création de filiales et des prises de participation.

Ainsi, le **Conseil d'État, dans son avis du 7 juillet 1994 *Diversification des activités d'EDF-GDF***, a admis que ces entreprises, qui à l'époque constituaient des établissements publics, pouvaient se livrer à des activités annexes, à côté des missions strictement liées à sa spécialité, pour peu toutefois qu'elles soient techniquement et commercialement le complément normal de la mission principale et que ces activités soient d'intérêt général et directement utiles à l'établissement public. Ainsi, EDF, chargé pour l'essentiel de la production et de la distribution d'électricité, pouvait intervenir, directement ou indirectement, dans les activités concourant à ces missions. À titre d'exemple, l'entreprise pouvait créer des filiales pour produire de l'énergie à partir de déchets, mais pas collecter ces déchets. Elle pouvait également investir dans le domaine de l'éclairage public.

L'interprétation souple du principe de spécialité peut conduire à une définition plus large, et donc aussi plus floue, des activités des établissements publics.

La reconnaissance de personnes publiques nouvelles

L'établissement public est aussi remis en cause par l'apparition de plusieurs nouvelles personnes publiques, sans qu'existe d'ailleurs une complète sécurité juridique.

Ainsi, **la Banque de France**, créée sous la forme d'un établissement privé le 18 janvier 1800 et nationalisée par la loi du 2 décembre 1945, est depuis lors une société à capital entièrement public qualifiée par la loi du 4 août 1993 d'« institution dont le capital appartient à l'État ». C'est au juge qu'est revenue la tâche de qualifier cette « institution ». Dans un premier temps, le Tribunal des conflits a affirmé dans sa décision du 16 juin 1997 que la Banque de France « *est une personne publique* ». Le Conseil d'État a ensuite considéré, dans sa décision du 22 mars 2000, que la Banque de France, « personne publique », « n'a pas le caractère d'un établissement public mais revêt une nature particulière et présente des caractéristiques propres ». Enfin, la Cour de cassation, dans un arrêt du 5 février 2002, a désigné la Banque de France comme « un établissement public administratif ».

Les **groupements d'intérêt public (GIP)**, introduits par la loi d'orientation et de programmation pour la recherche et le développement technologique du 15 juillet 1982 (loi Chevènement), ont cherché à remédier au développement des associations para-administratives dans le domaine de la recherche et à offrir un cadre plus souple que celui de l'établissement public. Après un très long débat sur la nature juridique de ces organismes, le Tribunal des conflits a fini par trancher. Il a indiqué, dans un arrêt du 14 février 2000, que les GIP sont « des personnes publiques soumises à un régime spécifique ; que ce dernier se caractérise, sous la seule réserve de l'application par analogie à ces groupements des dispositions de l'article 34 de la Constitution qui fondent la compétence de la loi en matière de création d'établissements publics proprement dits, par une absence de soumission de plein droit de ces groupements aux lois et règlements régissant les établissements publics ».

Enfin, il faut souligner l'existence d'**autorités administratives indépendantes (AAI) dotées de la personnalité morale**. En effet, l'Autorité des marchés financiers (AMF), qualifiée ainsi par l'article L. 621-1 du Code monétaire et financier, a ouvert la voie en 2003, puisque la Haute autorité de la santé, créée par la loi du 13 août 2004, est également qualifiée « d'autorité publique indépendante à caractère scientifique dotée de la personnalité morale ». Cette reconnaissance est censée présenter deux avantages, par exemple, pour l'AMF. Elle assurerait tout d'abord une plus grande souplesse de fonctionnement en permettant l'affectation directe des recettes (taxes versées par les opérateurs). Elle permettrait, en outre, de rendre l'AMF pleinement responsable de ses actes (tel n'est pas le cas des autres AAI, leur absence de personnalité morale aboutissant à ce que l'État soit tenu responsable de leurs agissements).

On voit donc, qu'à l'heure actuelle, la formule de l'établissement public est très fortement concurrencée.

CHAPITRE 5

LES AGENTS DE L'ADMINISTRATION

Quelles sont les différentes catégories d'agents dans l'administration ?

Le terme « agents » désigne l'ensemble des personnels employés par l'administration. Il existe plusieurs catégories d'agents qui se distinguent suivant leur régime (titulaires, non-titulaires de droit public ou de droit privé) et leur employeur (État, collectivités territoriales, établissements publics). Le mot « fonctionnaires » est souvent employé dans le langage courant pour désigner l'ensemble des agents publics de l'administration. Mais, juridiquement, ils n'en forment qu'un sous-ensemble.

▶▶ Les **agents titulaires** se définissent par la permanence de leur emploi et de l'agent lui-même par sa titularisation dans un corps et un grade. Ce sont des agents publics, dits « statutaires » car régis par un **statut de droit public** et non soumis à des contrats ou conventions collectives. On distingue les agents titulaires de l'État (fonctionnaires de l'État proprement dits, magistrats, militaires, employés des assemblées parlementaires) et les agents titulaires des collectivités territoriales et des hôpitaux.

▶▶ La catégorie des **agents non titulaires** s'est multipliée aussi bien au sein de l'administration d'État, que territoriale ou hospitalière. Elle présente des conditions plus souples de recrutement qui permettent de répondre rapidement à des besoins spécifiques. Il existe plusieurs régimes : agents auxiliaires, contractuels (en CDD ou CDI), vacataires (payés à la vacation et souvent à temps partiel ex : médecin de dispensaire). À l'intérieur de cet ensemble, on distingue les **agents non titulaires de droit public et les agents non titulaires de droit privé**. Depuis l'arrêt *Berkani* du Tribunal des conflits du 25 mars 1996, « les personnels non statutaires travaillant pour le compte d'un service public à caractère administratif sont des agents contractuels de droit public, quel que soit leur emploi ».

Les autres – par exemple, les agents des services publics industriels et commerciaux (sauf exception), des caisses locales de Sécurité sociale – relèvent du droit privé.
Les garanties reconnues à ces personnels non-titulaires ont été améliorées, notamment par la loi du 3 janvier 2001 sur la résorption de l'emploi précaire dans la fonction publique et la loi du 26 juillet 2005 transposant la directive européenne du 28 juin 1999 qui prévoit la transformation automatique, passés 6 ans, des CDD en CDI.

Qu'est-ce qu'un fonctionnaire ?

Dans le **langage courant, ce mot désigne l'ensemble du personnel de l'administration**. Mais **au sens strict**, les fonctionnaires n'en représentent **qu'une partie,** l'administration employant des agents publics titulaires (fonctionnaires et autres catégories) et des agents non titulaires (auxiliaires, agents contractuels, vacataires).

Il existe trois catégories de fonctionnaires correspondant aux trois fonctions publiques – les fonctionnaires de l'État, territoriaux et hospitaliers – mais définies par des critères communs.
Un fonctionnaire est une personne employée et nommée par une personne publique dans un emploi permanent et titularisée à son poste dans un grade de la hiérarchie administrative.

La titularisation est un élément important. Les lauréats d'un concours de la fonction publique effectuent souvent une période de stage afin de vérifier leurs aptitudes. Au terme de cette période, ils deviennent fonctionnaires par leur titularisation. Il s'agit d'un acte pris par une autorité de l'administration qui les emploie (ex : décret du président de la République pour les préfets). Elle constitue une garantie obligeant l'administration à trouver au fonctionnaire un emploi correspondant à son grade en cas de suppression de son poste.

Contrairement aux personnels du secteur privé, **la situation des fonctionnaires n'est pas régie par un contrat.** En principe, **seuls la loi et le règlement organisent leur statut**. Cela n'empêche pas, en pratique, les fonctionnaires de participer très largement à la détermination de leurs conditions de travail. Ils le font d'abord grâce à des organismes paritaires (comprenant des représentants de l'autorité administrative et des fonctionnaires) existant au sein de chaque administration mais aussi, plus généralement, par le biais de leurs syndicats. Actuellement, le statut général de la fonction publique est issu de quatre lois : celle du 13 juillet 1983 sur les droits et obligations des fonctionnaires, celle du 11 janvier 1984 sur la fonction publique d'État, celle du 26 janvier 1984 sur la fonction publique territoriale et celle du 9 janvier 1986 sur la fonction publique hospitalière.

Selon quel principe est organisée la fonction publique française ?

En France, la fonction publique s'organise selon le système de la carrière. Le fonctionnaire entre dans un corps (ou un cadre d'emploi pour la fonction publique territoriale), c'est-à-dire un ensemble de fonctionnaires soumis au même statut particulier, divisé en grades, dans lequel il progresse et fait carrière. Il est affecté à un des emplois correspondant au niveau du corps (grade) dans lequel il se trouve. Il peut néanmoins changer d'emploi sans subir de conséquence sur le déroulement de sa carrière. Ce système garantit davantage la stabilité de l'emploi et protège l'administration des aléas du jeu politique à la différence du système de l'emploi. La France n'est pas le seul État où la fonction publique est organisée de cette façon. C'est le cas de la majorité des pays d'Europe occidentale, notamment de la Grande-Bretagne.

Il existe un autre mode d'organisation possible pour la fonction publique : le système de l'emploi, également appelé système des dépouilles ou *spoil system*. Le fonctionnaire est alors affecté à un des emplois du service public et n'a pas nécessairement vocation à faire carrière au sein de la fonction publique. Dans cette organisation, un nouveau gouvernement doit pouvoir compter sur la loyauté partisane des fonctionnaires, et donc remplacer ceux qui sont en place par des «fidèles». Néanmoins, ce système, pratiqué aux États-Unis, est en pleine évolution, et fait une place de plus en plus grande à des mécanismes de carrière.

Le fonctionnaire, un salarié comme un autre ?

Ces dernières années, le phénomène le plus marquant dans le droit de la fonction publique est son rapprochement, dans différents domaines, avec le droit du travail. Néanmoins, droit du travail et droit de la fonction publique demeurent bien distincts.

Le rapprochement dans les sources du droit

Il faut d'abord souligner que le **droit communautaire**, comme le **droit issu de la Convention européenne de sauvegarde des droits de l'homme et des libertés fondamentales** de 1950, ignorent les distinctions entre droit privé et droit public et les touchent de la même manière.

De même, le phénomène de **constitutionnalisation du droit** touche toutes les branches. Ainsi, le droit du travail a peu à peu été enserré dans un ensemble de principes constitutionnels, tout comme le droit de la fonction publique. Il faut rappeler que lorsqu'on évoque la « Constitution », il convient de comprendre « bloc de constitutionnalité », soit principalement la Constitution du 4 octobre 1958 elle-même, la Déclaration des droits de l'homme et du citoyen (DDHC) du 26 août 1789, le préambule de la Constitution du 27 octobre 1946. Dès lors, certains principes éminents du droit de la fonction publique ont aujourd'hui valeur constitutionnelle : l'égale admission aux emplois publics, qui trouve son origine dans les dispositions de l'article 6 de la DDHC ; le droit de grève, qui a été reconnu de manière générale (sans en exclure les fonctionnaires) par l'alinéa 7 du préambule de la Constitution de 1946 ; reconnu par ce même préambule, le droit syndical pour tous les salariés, alors même que le syndicalisme avait toujours été, au moins officiellement, interdit au sein de la fonction publique.

Enfin, un dernier rapprochement, en matière de sources du droit, concerne le **domaine des accords passés entre représentants des administrations et représentants des fonctionnaires**. Ce rapprochement est *a priori* étrange, puisque la caractéristique essentielle du droit de la fonction publique en France est de placer les fonctionnaires dans une situation statutaire, législative et réglementaire. Leur statut est donc défini par la loi ou le décret et non par des accords employeurs-agents sur le modèle de ceux employeurs-salariés du droit privé. Néanmoins, certains accords ont pu avoir une importance et influencé ensuite le législateur. On en trouve un exemple récent avec les dispositions de la loi du 2 février 2007 relative à la modernisation de la fonction publique qui aborde la question du droit individuel à la formation. Cette loi reprend très largement le contenu d'un protocole d'accord sur l'amélioration des carrières et l'évolution de l'action sociale dans la fonction publique signé le 25 janvier 2006 entre le ministre de la fonction publique et trois organisations syndicales représentatives des fonctionnaires (CFDT, UNSA, CFTC).

Un relatif alignement des droits sociaux entre fonctionnaires et salariés du secteur privé...

On pourrait citer nombre d'exemples de ce rapprochement.

Tout d'abord, depuis la réforme des retraites de 2003, les fonctionnaires comme les salariés du secteur privé doivent **cotiser quarante années** pour obtenir une **retraite à taux plein**.

De même, **dans le domaine contractuel, la situation des agents publics s'est rapprochée de celle des agents de droit privé**. Par la directive du 28 juin 1999, l'Union européenne pose le principe selon lequel la forme normale de la relation de travail est la relation de travail à durée indéterminée. C'est pourquoi, il a été demandé aux États membres de prévenir les abus résultant de l'utilisation successive de contrats de travail à durée déterminée, ce qui était d'ores et déjà prévu en France s'agissant du contrat de travail privé. Depuis la loi du 26 juillet 2005, il est désormais prévu, afin de lutter contre une excessive précarité au sein de l'administration française, que le « renouvellement » d'un contrat à durée déterminée au-delà de six années entraîne sa transformation automatique en contrat à durée indéterminée.

On peut enfin observer que **les garanties reconnues aux agents publics se sont inspirées du droit privé du travail**. Ainsi, le juge administratif a-t-il posé les principes suivants : l'impossibilité de licencier une femme enceinte (Conseil d'État – CE, Ass., 8 juin 1973, *Dame Peynet*), l'impossibilité de payer un agent en-deçà du niveau du SMIC (CE, Sect., 23 avril 1982, *Ville de Toulouse*), l'interdiction de prononcer des sanctions pécuniaires à l'encontre des agents publics (CE, Ass., 1er juillet 1988, *Billard et Volle*) ou encore l'interdiction de prononcer des mesures discriminatoires en matière de rémunérations ou de droits sociaux à l'encontre de grévistes (CE, 12 novembre 1990, *Malher*).

... mais avec un maintien d'importantes différences.

La première différence sensible qui demeure concerne **le recrutement**. En effet, les fonctionnaires continuent à être recrutés principalement par la voie du concours, qui assure le mieux le respect de l'égalité entre candidats. Tel n'est pas le cas dans le secteur privé, au sein duquel les modes de recrutement peuvent être beaucoup plus diversifiés (sur dossier, à partir d'un *curriculum vitae*, après un ou plusieurs entretiens...), voire plus « farfelus » (graphologie,...).

Seconde différence : le **système de la carrière** qui prévaut dans la fonction publique. Le fonctionnaire qui entre dans un corps, ou un cadre d'emploi, a vocation à y accomplir l'ensemble de sa carrière, en gravissant peu à peu les échelons. Dans le secteur privé, si rien n'interdit qu'un salarié fasse toute sa carrière dans la même entreprise, rien ne le garantit non plus. Qui plus est, aujourd'hui, l'évolution économique tend plutôt vers des changements d'orientation de carrière tout au long de la vie.

Enfin, certaines **spécificités** du droit de la fonction publique demeurent car elles sont **attachées à la nécessité de la continuité des services publics**. Ainsi, contrairement à la règle qui prévaut en droit du travail, lorsque des fonctionnaires sont en grève et en cas de circonstances exceptionnelles comme une extrême urgence, l'administration peut recourir à des travailleurs temporaires.

> **Vers une refondation de la fonction publique ?**
>
> Dans son discours du 19 septembre 2007 à Nantes, le président de la République, Nicolas Sarkozy, a esquissé quelques pistes de réflexion pour réformer la fonction publique dans plusieurs domaines qui pourraient favoriser d'autres rapprochements avec le droit privé :
> – le statut : possibilité pour les nouveaux entrants de choisir entre le statut de fonctionnaire et un contrat de droit privé négocié de gré à gré ;
> – le recrutement par concours : réflexion sur la notation et la culture du concours peut-être plus assez adaptée aux besoins de l'administration ;
> – la rémunération : introduction de la rémunération au mérite, paiement plus avantageux des heures supplémentaires ;
> – la mobilité : possibilité pour les fonctionnaires de quitter la fonction publique contre un pécule ;
> – le dialogue social : abandon de la composition strictement paritaire des instances du dialogue social qui serait organisé autour du service plutôt que des corps.

Existe-t-il différentes catégories de fonctionnaires ?

Il existe différentes classifications parmi les fonctionnaires.

S'il existe bien un statut général de la fonction publique (1983) s'appliquant, sauf dispositions contraires, à tous les fonctionnaires, **il faut néanmoins distinguer trois fonctions publiques** :
– la fonction publique de l'État ;
– la fonction publique territoriale, regroupant les fonctionnaires travaillant pour les collectivités territoriales (régions, départements, communes) ;
– la fonction publique hospitalière (agents travaillant dans les hôpitaux publics).

À l'intérieur de chacune des trois fonctions publiques, il existe différentes catégories de fonctionnaires :
– les corps, pour les fonctions publiques de l'État et hospitalière ;
– les cadres d'emplois pour la fonction publique territoriale.

Ils regroupent les fonctionnaires soumis au même statut particulier et concourant entre eux pour l'avancement.

Ces **corps ou cadres d'emplois** sont répartis entre trois catégories A, B et C :
- les catégories A sont hiérarchiquement supérieurs et correspondent à des fonctions de conception, de direction et d'encadrement;
- les B à des fonctions d'application et de rédaction;
- les C à des fonctions d'exécution.

Chaque corps ou cadre d'emploi est structuré en grades, classes et échelons.

On peut également distinguer **différentes catégories de fonctionnaires selon leurs droits**. Par exemple, il existe un statut particulier pour les magistrats, défini par une loi organique, afin d'assurer leur nécessaire indépendance. Les fonctionnaires de la police nationale (loi de 1948) ne disposent pas du droit de grève comme les militaires qui ne peuvent pas non plus adhérer à un syndicat (loi de 1972).

Comment devient-on fonctionnaire ?

La règle de principe du recrutement des fonctionnaires est celle du concours au terme duquel les meilleurs candidats sont admis.

En effet, le concours apparaît comme le plus efficace des systèmes. Il permet, d'une part, d'assurer l'égalité d'accès des candidats en évitant les discriminations à l'embauche et, d'autre part, de vérifier les compétences des candidats. Si ce système n'est pas le plus satisfaisant, il semble être en tous cas le moins mauvais car d'autres solutions n'apportent pas les garanties d'impartialité et de compétence suffisantes.

Il convient néanmoins de préciser que, dans la fonction publique territoriale (FPT), et contrairement à la règle qui prévaut dans la fonction publique d'État, l'admission au concours ne signifie pas l'affectation immédiate à un poste. Les candidats admis dans la FPT sont, en effet, inscrits sur une liste d'aptitude et doivent ensuite postuler eux-mêmes à un emploi.

Statuts général, particuliers, spéciaux et autonomes : les différences

Il existe, pour l'ensemble des fonctionnaires français, **un statut général de la fonction publique** composé, d'une part, d'une loi fixant de manière générale les droits et obligations des fonctionnaires (loi du 13 juillet 1983), et, d'autre part, de statuts spécifiques concernant les fonctionnaires de l'État (loi du 11 janvier 1984), des collectivités territoriales (loi du 26 janvier 1984) et des établissements hospitaliers (loi du 6 janvier 1986).

Toutefois, il existe bien d'autres catégories de statuts.

Les statuts particuliers

Les fonctions publiques d'État (FPE), territoriale (FPT) et hospitalière (FPH) se composent de corps de fonctionnaires (pour les FPE et FPH) ou de cadres d'emplois (pour la FPT) nombreux et hétérogènes (un millier rien que pour la FPE). Cette diversité nécessite la mise en place de statuts particuliers pour chaque corps ou cadre d'emploi précisant leurs modalités d'organisation et de fonctionnement et permettant ainsi la mise en œuvre du statut général de la fonction publique.

Pour la FPE, la loi du 11 janvier 1984 prévoit deux catégories de statuts particuliers – les statuts particuliers ordinaires et dérogatoires – édictés par décret en Conseil d'État.

Les statuts particuliers ordinaires permettent de préciser, pour chaque corps, notamment les dispositions relatives aux modalités d'organisation des concours, au nombre de grades, de classes, d'échelons, rythme d'avancement, règles qui ne peuvent pas être précisées au sein du statut général de la fonction publique.

Au sein même de ces statuts particuliers ordinaires, une place à part est occupée par les **statuts particuliers à garantie législative**. Ils concernent certains corps pour lesquels il est apparu essentiel de prévoir des garanties supplémentaires. Tel est notamment le cas du statut des magistrats des tribunaux administratifs et des cours administratives d'appel (loi du 6 janvier 1986), qui leur assure l'inamovibilité, ce qui constitue une forte garantie d'indépendance. Il en est de même pour le statut des magistrats des Chambres régionales des comptes (loi du 10 juillet 1982).

Les **statuts particuliers dérogatoires** peuvent déroger à certaines dispositions du statut général de la fonction publique, après avis du Conseil supérieur de la FPE, lorsque ces dernières ne correspondent pas « aux besoins propres de ces corps ou aux missions que leurs membres sont destinés à assurer » (loi du 11 janvier 1984). Cela est notamment possible pour les corps recrutés par la voie de l'École nationale d'administration, pour les corps enseignants et des personnels de la recherche et pour ceux reconnus comme ayant un caractère technique.

Les statuts spéciaux

À côté de ces statuts particuliers, il existe au sein de la FPE des statuts spéciaux, toujours législatifs, qui **concernent des corps de fonctionnaires dont la loi décide le retrait ou la restriction du droit de grève**, dans un souci d'ordre public ou de continuité du service public.

Sont ainsi régis par un statut spécial les personnels de la police nationale (lois du 28 septembre 1948, puis du 21 janvier 1995), les personnels des services déconcentrés de l'administration pénitentiaire (ordonnance du 6 août 1958) comme les directeurs et surveillants de prisons, et divers techniciens chargés de la sécurité aérienne (ex : ingénieurs de la navigation aérienne).

La privation du droit de grève s'accompagne, pour ces corps, d'une **restriction des garanties procédurales**. En effet, si, malgré l'interdiction statutaire, ces personnels se mettent en grève, ils sont sanctionnés hors des garanties disciplinaires classiques.

Les statuts autonomes

Certaines catégories de fonctionnaires de l'État ne sont pas soumis au statut général de la fonction publique et bénéficie de statuts dits « autonomes ». La loi du 13 juillet 1984 spécifie ces différentes catégories de fonctionnaires.

Les **magistrats judiciaires** sont dotés d'un statut autonome avec une forte garantie constitutionnelle, puisque l'article 64 de la Constitution spécifie qu'il est défini par une loi organique. C'est l'ordonnance du 22 décembre 1958 portant loi organique relative au statut de la magistrature qui a édicté ce statut. Le but essentiel de ces dispositions est de préserver l'indépendance des magistrats. Mais, le droit de grève est en principe interdit aux juges judiciaires.

L'ordonnance organique du 17 novembre 1958 relative au fonctionnement des **assemblées parlementaires** a spécifié que le **statut des fonctionnaires de leurs services** est défini par une résolution du Bureau de chaque assemblée. La justification de ce statut autonome réside dans l'exigence de séparation des pouvoirs.

Relèvent également d'un statut autonome les **militaires**. Ce statut avait été fixé par la loi du 13 juillet 1972, puis modifié de manière importante par la loi du 24 mars 2005 et, plus récemment, par l'ordonnance du 29 mars 2007. En effet, la loi du 13 juillet 1972 était particulièrement restrictive en termes de libertés fondamentales pour les militaires, car il s'agissait d'assurer la subordination du pouvoir militaire au pouvoir civil. La loi du 24 mars 2005 maintient certes l'interdiction du droit de grève et du droit syndical, mais précise que, sous réserve de ces restrictions, les militaires jouissent de tous les droits et libertés reconnus aux autres citoyens.

Enfin, on peut signaler un statut autonome très spécifique, celui qui régit les **fonctionnaires de la Direction générale de la sécurité extérieure (DGSE)** dont le statut est fixé par voie réglementaire (décret du 1er septembre 1954). Pour des raisons évidentes de confidentialité s'agissant des services secrets, ce statut n'est pas connu à l'extérieur de cette administration.

▶▶ **Pour se porter candidat à un concours de la fonction publique, il faut satisfaire à des conditions** d'âge, de diplômes, avoir la nationalité française ou, dans certains cas qui tendent à se multiplier, celle d'un des pays de l'Union européenne et jouir de ses droits civiques.

▶▶ Lors du déroulement d'un concours, les **deux principes essentiels** sont **l'égalité** entre candidats et **l'impartialité du jury**.
L'égalité entre candidats est assurée par plusieurs éléments :
- l'existence d'un programme officiel du concours ;
- l'anonymat des copies ;
- la gratuité de la participation.

L'impartialité, quant à elle, fait l'objet d'un contrôle sévère du juge administratif. Les membres du jury ne peuvent faire savoir à l'avance qu'ils refuseront certains candidats (ex : un maire, président de jury, avait fait savoir qu'il refusait par principe la réussite des femmes au concours). Les proches d'un candidat ne peuvent bien évidemment pas siéger dans le jury d'un concours.

▶▶ Toutefois, l'ordonnance du 2 août 2005 a institué **un nouveau mode de recrutement** dans les trois fonctions publiques, pour les emplois de catégorie C, pour les jeunes de 16 à 25 ans pas ou peu diplômés : **le PACTE** (parcours d'accès aux carrières de la fonction publique territoriale, hospitalière et d'État). Il s'agit d'un contrat de droit public de un à deux ans alternant formation et stage, à l'issue duquel, après vérification des aptitudes, le jeune peut être recruté en qualité de fonctionnaire sans avoir à passer un concours.

Le statut général de la fonction publique

Le statut général de la fonction publique a constitué une grande conquête pour les fonctionnaires. En effet, sa mise en place avait été annoncée de longue date.

Une longue évolution

Dès **1920**, à l'occasion du vote de la loi du 12 mars sur les syndicats, le gouvernement évoquait cette perspective. Le premier statut général de la fonction publique a été défini par **la loi du 19 octobre 1946**, alors que Maurice Thorez était vice-président du Conseil chargé de la Fonction publique. Ce texte ne s'appliquait qu'à la fonction publique d'État, mais certains des grands principes que l'on retrouve dans l'actuel statut de la fonction publique y étaient déjà annoncés : distinction du grade et de l'emploi, gestion des personnels au sein d'organismes paritaires auxquels participent les fonctionnaires, reconnaissance du droit d'adhérer au syndicat de son choix... L'**ordonnance du 4 février 1959** a apporté quelques modifications mineures, principalement commandées par la nouvelle répartition entre les domaines de la loi et du règlement établie par la Constitution de la Ve République.

Une refonte complète intervient ensuite durant les années 1980. **La loi du 13 juillet 1983** porte « droits et obligations des fonctionnaires » et constitue le titre Ier du statut général des fonctionnaires. Elle est commune aux trois fonctions publiques. Ce que l'on nomme « statut général » est constitué par ce premier texte ainsi que par trois autres lois, chacune ayant trait à l'une des trois fonctions publiques. La loi du 11 janvier 1984 est relative au statut des fonctionnaires de l'État et constitue le titre II du statut général des fonctionnaires. La loi du 26 janvier 1984 définit le statut des fonctionnaires des collectivités territoriales (titre III du statut général des fonctionnaires), réforme résultant du développement de la décentralisation à l'issue de la loi du 2 mars 1982. Enfin, la loi du 9 janvier 1986 est relative au statut de la fonction publique hospitalière et constitue le titre IV du statut général des fonctionnaires.

Des principes communs aux trois fonctions publiques

Une des priorités du législateur a été d'affirmer la parité entre les trois fonctions publiques – État, territoriale et hospitalière. C'est pourquoi elles sont toutes les trois soumises aux dispositions de la loi du 13 juillet 1983. Leurs principes essentiels sont donc communs. Ainsi, les fonctionnaires se trouvent dans une situation légale et réglementaire : contrairement aux salariés du secteur privé, ils ne sont pas régis par un contrat passé avec leur employeur. On met également en œuvre la distinction du grade, qui manifeste le degré d'avancement d'un fonctionnaire dans sa carrière, et de l'emploi (poste dans lequel le fonctionnaire est affecté). Enfin, les fonctionnaires sont regroupés dans des

« corps » – ou « cadres d'emplois » pour la fonction publique territoriale –, qui présentent une certaine unité et qui, pour cette raison, sont régis par des statuts particuliers, conformes au statut général, mais qui permettent de prendre en compte les particularités de chacun d'eux. Par ailleurs, des passerelles entre ces trois fonctions publiques ont été mises en place.

Des dérogations possibles au statut général

Il est néanmoins possible de déroger à ce statut général des fonctionnaires. Ainsi, la loi du 11 janvier 1984 relative aux fonctionnaires de l'État prévoit que les statuts particuliers de corps ayant un caractère technique peuvent déroger à certains éléments du statut général, dès lors qu'ils ne correspondraient pas aux besoins spécifiques des corps concernés. Dans ce cas, le gouvernement ne peut déroger au statut général qu'après avoir consulté le Conseil supérieur de la fonction publique de l'État, qui est un organe consultatif composé de représentants de l'administration et de fonctionnaires de l'État. Par ailleurs, le juge administratif exerce un contrôle précis sur ces dérogations, en vérifiant, au cas par cas, qu'elles sont bien nécessitées par les particularités du corps de fonctionnaires en cause.

Critique et apports de ce statut

On a pu parfois mettre en cause la complexité de ce statut général en quatre parties. Pourtant, il présente le mérite essentiel de mettre en évidence ce qui, par-delà les différences des collectivités pour lesquelles ils travaillent, unit les fonctionnaires dans les missions qu'ils remplissent et dans leur activité quotidienne. Le statut général protège des principes essentiels pour toutes les catégories de fonctionnaires : droit de grève, égalité de traitement, droit syndical, garanties en cas de poursuites disciplinaires, liberté d'opinion, participation des fonctionnaires – à titre consultatif – à la gestion du service public grâce à des organismes paritaires...

Certes, le statut général des fonctionnaires n'est pas une œuvre figée dans le temps, dont la perfection empêcherait toute évolution. D'ailleurs, certaines évolutions très importantes ont déjà eu lieu. Ainsi, depuis 1991, les ressortissants d'un État de l'Union européenne peuvent intégrer la fonction publique française à condition de ne pas participer à des missions ayant trait à la souveraineté. Mais, malgré les éventuelles réformes à mener, le statut général de la fonction publique a incontestablement constitué un grand progrès.

Quels sont les droits des fonctionnaires ?

Les fonctionnaires se voient reconnaître deux catégories de droits.

Des droits liés à l'exercice de leurs fonctions :

– le **droit à rémunération et à pension de retraite** : le fonctionnaire a droit à une rémunération après service fait, qui se décompose en un traitement, des primes et indemnités. Il est prolongé à la retraite par le versement d'une pension;

– le **droit à des congés** : congés annuels, de formation, maternité, parental ou maladie;

– le **droit à la protection de l'administration** : lorsqu'un fonctionnaire est victime de violences ou d'outrages dans l'exercice de ses fonctions, l'administration doit utiliser tous les moyens nécessaires pour faire cesser ces troubles, y compris des poursuites pénales;

– le **droit à la formation professionnelle** : reconnu comme un droit par la loi du 13 juillet 1983 (art. 22). Depuis, la loi du 2 février 2007 sur la modernisation de la fonction publique a affirmé le droit individuel à la formation.

En tant que citoyens, les fonctionnaires jouissent des **libertés publiques, mais avec des limitations pour certaines** :

– la **liberté d'opinion** : expressément affirmée par la loi du 13 juillet 1983 (art. 6), Elle doit cependant se concilier avec l'obligation de neutralité des agents dans leur service;

– la **liberté d'expression** : pose un problème de fond car elle ne doit pas contrevenir à l'obligation de réserve des fonctionnaires dont il est difficile de tracer les limites;

– le **droit syndical** : reconnu uniquement en 1946, il figure à l'article 8 de la loi du 13 juillet 1983. La jurisprudence du Conseil d'État reconnaît d'ailleurs au délégué syndical une grande liberté d'expression et d'action;

– le **droit de grève** : reconnu lui aussi en 1946, mais certains fonctionnaires en sont privés (ex : policiers, militaires, magistrats judiciaires) ou voient son exercice limité (ex : «aiguilleurs du ciel») pour des raisons liées à leurs fonctions.

Les effectifs de la fonction publique

Il s'avère assez difficile de déterminer précisément les effectifs de la fonction publique d'État. Cela s'explique par le fait que d'importantes fonctions de service public sont remplies par des établissements relevant de l'État, mais sous des formes variables (établissements publics ou entreprises, telles que France Télécom). Les effectifs des fonctions publiques hospitalière et territoriale semblent plus précisément connus. On peut donc présenter les grandes « masses » de fonctionnaires, les tendances historiques et certains problèmes qui demeurent.

Répartition par catégorie de personnes publiques et par catégorie hiérarchique

Au 31 décembre 2005, **l'État** avait à son service 2302697 agents, dont 1750225 fonctionnaires titulaires, 150764 non-titulaires, 50861 ouvriers d'État et 350847 militaires et volontaires militaires. Au sein de cet ensemble, les effectifs les plus importants concernent l'Éducation nationale (52 % des effectifs en 2005 avec 1,2 million d'agents). D'autres administrations disposent d'un nombre d'agents bien inférieur (ex : les ministères des Affaires étrangères avec 19049 agents en 2005, de la Culture avec 13862 agents ou de l'Outre-mer avec 2506 personnes).

À ces agents civils, il faut ajouter les effectifs des établissements publics administratifs (EPA) relevant de l'État (ex : ANPE, BNF, ENA) qui comptaient 240308 agents au 31 décembre 2005, dont 153719 non-titulaires, 85657 titulaires, 900 ouvriers d'État et 32 militaires et volontaires militaires.

Ainsi, l'État et les EPA qui en relèvent employaient 2543005 agents dans la fonction publique d'État (FPE) au 31 décembre 2005, dont 12 % sont des non-titulaires.

À cela, on pourrait également ajouter, hors fonction publique proprement dite, les effectifs des organismes ou établissements publics industriels et commerciaux (EPIC) exerçant des missions de service public pour le compte de l'État. Ainsi, France Telecom, qui est aujourd'hui une entreprise privée, mais dont nombre de collaborateurs continuent de bénéficier du statut de la fonction publique d'État, comptait en son sein 112000 fonctionnaires en 2002.

La **fonction publique hospitalière (FPH),** régie par la loi du 9 janvier 1986, employait 1023655 personnes au 31 décembre 2005, dont 136862 non-titulaires (13,4 % des effectifs).

Quant à la **fonction publique territoriale (FPT)**, elle comptait à la même époque 1613221 agents, dont 1210622 employés par les collectivités elles-mêmes et 402599 par les EPA dépendant d'elles. Sur ces 1613221 personnes, on dénombrait 1232151 titulaires, 325073 non-titulaires (20,2 % des effectifs) et 55997 assistantes-maternelles.

Au total, la France comptait au 31 décembre 2005, pour les trois fonctions publiques, **5 179 881 agents**.

Par ailleurs, les agents de catégorie A sont les plus nombreux dans la FPE, puisqu'ils y représentaient 46,6 % des agents (ministères et EPA) en 2005, contre 8,4 % dans la FPT et 16,8 % dans la FPH. C'est dans la fonction publique territoriale que les agents de catégorie C sont les plus nombreux (77,9 % des agents, contre 30,9 % de ceux de la FPE et 48,4 % pour la FPH).

L'évolution de long terme : l'augmentation des effectifs de la fonction publique

Ceci s'explique d'abord par l'accroissement, depuis le deuxième tiers du XIXe siècle, avec une accélération après 1945, des interventions économiques et sociales de l'État, qui ne se limitent plus aux seuls domaines régaliens. Quant aux collectivités territoriales, l'augmentation des effectifs de fonctionnaires s'explique par le mouvement de décentralisation qui, depuis 1982, transfère des compétences de l'État aux collectivités. Aujourd'hui, donc, les effectifs de la fonction publique constituent une charge importante pour les personnes publiques et un souci constant. Ainsi, pour l'État, les traitements et les retraites versés aux fonctionnaires représentent plus de 40 % de son budget (45 % des dépenses dans la loi de finances initiale pour 2007).

Depuis 2003, en revanche, les gouvernements affichent une volonté de réduction des effectifs de la FPE. Il s'agit de renforcer l'efficacité de la fonction publique tout en en diminuant le coût. La Révision générale des politiques publiques (RGPP), lancée le 10 juillet 2007, se place également dans cette perspective et doit permettre de répondre à l'objectif annoncé par le président de la République, Nicolas Sarkozy, de ne pas remplacer un fonctionnaire sur deux partant à la retraite.

L'étude des effectifs révèle certains problèmes

Le premier problème a trait à la répartition des emplois entre les sexes. Si dans la majorité des emplois, l'équilibre est globalement respecté entre hommes et femmes malgré certaines spécificités (il y a plus d'institutrices, d'infirmières et de sages-femmes), il en va très différemment pour les emplois de l'encadrement supérieur. Ainsi, fin 2005, les femmes occupaient 59 % des emplois des trois fonctions publiques, mais seulement 15 % des emplois de direction.

Autre problème, toujours relatif aux emplois supérieurs de la fonction publique, les inégalités sociales de fait. On constate en effet que les catégories sociales les moins favorisées sont bien moins représentées au plus haut niveau de la fonction publique que les catégories sociales plus privilégiées.

Quels sont les devoirs des fonctionnaires ?

Les fonctionnaires doivent respecter plusieurs obligations :

– **L'obligation de se consacrer entièrement à ses fonctions** : en principe, un fonctionnaire ne peut en aucun cas cumuler ses fonctions avec une autre activité, privée ou publique. Il existe néanmoins des exceptions, par exemple pour les activités d'enseignement ou d'écriture.

– **L'obligation de discrétion professionnelle et de respect du secret professionnel** : le fonctionnaire ne doit pas divulguer des informations ou des documents dont il a eu connaissance à l'occasion de ses fonctions, sous peine de sanctions disciplinaires ou pénales selon le cas.

– **Le devoir d'obéissance** aux instructions de son supérieur hiérarchique. Néanmoins, cette règle a été atténuée depuis le Seconde Guerre mondiale. Le fonctionnaire doit au contraire refuser d'obéir à un ordre lorsqu'il est manifestement illégal et contraire à un intérêt public.

– **Le devoir de moralité**, y compris en dehors du service : un fonctionnaire ne doit pas choquer par son attitude (alcoolisme, scandale public...), ni porter atteinte à la dignité de la fonction publique.

– **Le devoir de probité** : le fonctionnaire ne doit pas utiliser les moyens du service à des fins personnelles, ni avoir d'intérêts dans les personnes morales de droit privé (ex : entreprises) que ses fonctions l'amènent à contrôler. Ce devoir est complémentaire à l'obligation de se consacrer à ses fonctions.

– **L'obligation de neutralité** : le fonctionnaire doit assurer ses fonctions à l'égard de tous les administrés dans les mêmes conditions, quelles que soient leurs opinions religieuses ou politiques, leur origine, leur sexe, et doit s'abstenir de manifester ses opinions.

Qu'est-ce qu'un grand corps de l'État ?

Il n'existe **pas de définition juridique précise** de la notion de grand corps de l'État. Il s'agit avant tout d'une notion sociologique et coutumière, fondée sur plusieurs observations.

➤ Un grand corps de l'État peut se définir comme **un corps de fonctionnaires de l'État doté d'une très forte unité et d'un grand prestige** car ses membres occupent des postes hiérarchiquement élevés dans l'administration (ex : Inspecteur générale des Finances, Conseiller d'État).

➤ Les études portant sur les grands corps de l'État ont dégagé **deux grandes tendances permettant d'expliquer leur homogénéité** :

– Pour certains auteurs, le pouvoir des membres de ces grands corps, qui résiderait dans leur **place éminente à la tête de l'État** (directions d'administrations centrales, cabinets ministériels, entreprises publiques), mais aussi dans le secteur privé, expliquerait cette cohésion.

– Pour d'autres, cette homogénéité s'expliquerait avant tout par **l'origine de leurs membres** : même origine sociale (bourgeoisie, classe moyenne supérieure) et géographique (Paris et ses alentours), et même formation (soit à l'École nationale d'administration, soit à l'École Polytechnique).

➤ En tout état de cause, il faut constater **l'importance de ces grands corps de l'État sous la Ve République**, à la fois dans les entourages du président de la République, du Premier ministre et des différents ministres, mais aussi de plus en plus dans les enceintes parlementaires.

Quels sont les grands corps de l'État ?

▶▶ On distingue traditionnellement les grands corps techniques, recrutés majoritairement par la voie de l'École Polytechnique, des grands corps administratifs, provenant en majorité de l'École nationale d'administration.

▶▶ **S'agissant des corps techniques**, on compte parmi eux :

– Le corps des ingénieurs des Ponts et Chaussées : sa naissance remonte à l'Ancien Régime. Leur mission principale est la direction de grands travaux de construction et de génie civil réalisés pour le compte de l'État ou des collectivités territoriales. Ils relèvent principalement du ministère de l'Équipement.

– Le corps des ingénieurs des Mines : ils occupent des postes à responsabilité au ministère de l'Économie, des Finances et de l'Industrie ou dans d'autres ministères (développement durable, recherche, santé, transports...). À ce titre, ils exercent un contrôle sur un grand nombre d'entreprises du secteur industriel.

▶▶ **Pour les grands corps administratifs**, on distingue :

– Les corps du Conseil d'État : ils sont à la fois les conseillers juridiques du gouvernement (projets de loi ou de décrets...), et les juges en dernier ressort des conflits entre les administrations et les administrés.

– Les corps de la Cour des comptes : ils vérifient l'exactitude des comptes des personnes publiques ou privées bénéficiant de l'argent public. Ils ont également une mission administrative consistant à informer, grâce au rapport annuel de la Cour, le Parlement et le gouvernement sur les questions de finances publiques.

– L'Inspection générale des Finances : elle est en fait un service du ministère des Finances chargé de vérifier, sur leur lieu de travail, l'activité des comptables publics. Ses membres ont vocation à occuper les postes les plus importants de l'administration économique et financière.

Histoire de la fonction publique

La fonction publique française telle qu'elle existe aujourd'hui est l'héritière de plusieurs siècles d'histoire, faits de réformes, de luttes et d'évolutions statutaires. Il n'est donc pas inutile de rappeler, brièvement, les grands moments de cette évolution.

Le Moyen-Âge et l'Ancien Régime : les lointaines origines de la fonction publique

Au Moyen-Âge, le **besoin** d'une administration et d'agents à son service – ancêtre de la fonction publique – **commence à se manifester avec l'affirmation de la mainmise du roi sur le territoire**, au détriment des seigneurs, **et la progression de la construction de l'État monarchique**. Ce mouvement s'accélère sous le règne de Philippe le Bel (1285 -1314). Les légistes du roi, formés au droit romain, jouent un rôle central dans cette administration.

Sous l'Ancien Régime, le nombre des agents augmente, mais cette « fonction publique » demeure très hétérogène et il n'existe pas de statut. Il faut néanmoins distinguer deux groupes au sein de ces agents publics : les officiers et les commissaires. **L'office**, à l'origine, désigne toute fonction confiée par le roi à un particulier rémunéré par des gages et des taxations attachées à chacune des opérations qu'il accomplit. Mais à la fin du XVe – début du XVIe siècle, il devient un objet de commerce entre particuliers : c'est la vénalité des offices. En 1604, l'édit de la paulette consacre le caractère patrimonial et héréditaire des offices contre le versement d'un droit annuel et d'un droit de mutation à l'État. Pour renflouer ses caisses, le roi multiplie alors les offices, mais perd du même coup le contrôle sur ces officiers. La création des **commissaires**, dont les intendants de justice, police et finances font partie, a donc eu pour but de rétablir une pleine autorité du roi sur ses agents. Le roi dispose en effet d'un pouvoir discrétionnaire de nomination et de révocation sur les commissaires, qui ne sont pas propriétaires de leur charge. Leur fonction est temporaire et limitée. Les intendants occupent une place croissante dans l'administration du royaume au XVIIe et XVIIIe siècles.

Enfin, les agents publics de l'Ancien Régime connaissent déjà une **hiérarchisation** entre une « haute fonction publique » et une fonction publique d'exécution.

La Révolution et le XIXe siècle : l'évolution vers une véritable fonction publique

Sous la Révolution, les effectifs de l'administration gonflent, que ce soit dans les ministères ou, sur le plan local, dans les services chargés d'équiper et de ravitailler les armées.

Par ailleurs, on remarque une **relative stabilité du personnel administratif**. Ainsi, les administrateurs territoriaux ont pour la plupart été formés sous l'Ancien Régime, ont administré les anciennes provinces et conservent leurs fonctions en raison de leur expérience.

Pendant la période napoléonienne, la fonction publique est tout d'abord largement réorganisée et se professionnalise. Les grades et les emplois sont définis de manière plus précise, de même que le système présidant à l'avancement. Les horaires de travail deviennent stricts.
Demeure néanmoins **une forte hétérogénéité des agents publics**. La haute fonction publique est *de facto* réservée aux notables et à leurs enfants, le recrutement s'effectuant par cooptation au sein des mêmes milieux. Pour les fonctionnaires des catégories inférieures, le recrutement s'opère dans les milieux modestes, avec des possibilités d'avancement limitées.

Tout au long du **XIXe siècle**, le pouvoir place le territoire français sous une stricte tutelle administrative, ce qui se traduit par une fonctionnarisation accrue des services publics. Ce phénomène explique **l'accroissement constant des effectifs**. Parallèlement, apparaît l'idée que **les fonctionnaires doivent être à la fois mieux formés et mieux sélectionnés**.

La IIIe République : la fonction publique républicaine

Le premier souci des républicains, dès la fin des années 1870, est de **s'assurer des sentiments favorables des fonctionnaires à l'égard de la République**. C'est à une forme d'« épuration » que l'on assiste pendant les premières années de la IIIe République. Dans le même temps, dans un contexte de forte instabilité ministérielle, les hauts fonctionnaires deviennent les meilleurs garants de la continuité de la vie nationale.

L'extension des compétences étatiques est concomitante d'importantes évolutions au sein de la fonction publique. C'est notamment à cette époque que la hiérarchie au sein de chaque département ministériel (directeur, sous-directeurs, chefs de bureau, sous-chefs de bureau et rédacteurs) se cristallise, au moins jusqu'à la Libération.

La question de la formation et du recrutement se pose toujours. En 1848, Hippolyte Carnot, ministre de l'Instruction publique, fonde une École d'administration pour former la haute fonction publique. Son existence fut brève mais l'idée rejaillit sous la IIIe République avec en 1876, à nouveau la création d'une école nationale d'administration, projet qui échoue finalement. Parallèlement, en 1872, le journaliste Emile Boutmy crée l'École libre des sciences politiques, qui a pour principale vocation la préparation des concours administratifs. Mais Jules Ferry ne réussit pas à la nationaliser en 1881.

D'autres évolutions révèlent les grandes tendances de la société française. Au tout début du **XXe siècle**, les femmes font une entrée remarquée dans les ministères. D'ailleurs, à partir de 1919, les concours de rédacteurs sont ouverts aux femmes. Il faut également noter la syndicalisation croissante *de facto* des fonctionnaires, à une époque où le droit syndical ne leur était pas reconnu et le droit de grève strictement interdit.

Le régime de Vichy et la Libération

Alors qu'a pris son essor, à la fin des années 1930, le débat essentiel sur la nécessité d'un statut général de la fonction publique, c'est finalement **le gouvernement de Vichy** qui publie par la loi du 14 septembre 1941, le tout **premier statut général des fonctionnaires** fortement hostile à la grève et insistant sur les devoirs des fonctionnaires.

À la Libération, une épuration de l'administration a lieu, suivie d'un mouvement de réforme de la fonction publique marqué par deux avancées : la création de l'École nationale d'administration (ENA) par l'ordonnance du 9 octobre 1945 et **l'adoption du premier statut général républicain des fonctionnaires défini par la loi du 19 octobre 1946**. Ce texte a été voté à l'unanimité par l'Assemblée constituante et préparée par Maurice Thorez, alors vice-président du conseil, communiste, chargé de la fonction publique. Le droit syndical et le droit de grève sont alors officiellement reconnus aux fonctionnaires.

Les IVe et Ve Républiques : le temps des statuts

La IVe République met en application ce nouveau statut de 1946, puis un nouveau statut intervient avec l'avènement de la **Ve République**. Il s'agit seulement de tirer les conséquences de la nouvelle répartition entre le domaine de la loi et celui du règlement établie par l'article 34 de la Constitution du 4 octobre 1958. Tel est l'objet de **l'ordonnance du 4 février 1959**.

Enfin, l'alternance politique de 1981 débouche sur une nouvelle modification du statut général de la fonction publique, qui se compose lui-même de plusieurs textes : la **loi du 13 juillet 1983 relative aux droits et obligations des fonctionnaires**, qui s'applique à tous les fonctionnaires, suivie par trois textes concernant la fonction publique de l'État (loi du 11 janvier 1984), la fonction publique territoriale (loi du 26 janvier 1984) et la fonction publique hospitalière (loi du 9 janvier 1986).

Les évolutions de fond à retenir sur cette longue période sont au nombre de deux. D'abord, **l'accroissement du nombre de fonctionnaires a perduré**, notamment sous les effets de la décentralisation à partir de 1982. Par ailleurs, **la relation entre fonction publique et politique a évolué**. On parle d'une « fonctionnarisation de la politique ». En effet, depuis le début des années 1960, il est fréquent que des membres de la haute fonction publique réussissent une carrière politique au plus haut niveau. Ainsi, pour ne citer que quelques exemples célèbres : Valéry Giscard d'Estaing, Jacques Chirac, Laurent Fabius, Alain Juppé, Lionel Jospin, Dominique de Villepin, tous anciens élèves de l'ENA. Les règles du statut de la fonction publique facilitent ce passage, car les fonctionnaires, en cas d'échec aux élections, peuvent retourner sans difficulté dans leur corps d'origine, ce qui n'est par exemple pas le cas en Grande-Bretagne.

CHAPITRE 6

L'ACTION DE L'ADMINISTRATION

Les voies et moyens d'action

Que sont les actes administratifs unilatéraux ?

▶▶ **Les actes administratifs unilatéraux (AAU) sont des actes par lesquels l'administration modifie l'ordonnancement juridique**, c'est-à-dire fixe de nouvelles règles juridiques créant des droits et obligations ou modifie des normes existantes. Contrairement à un contrat qui repose sur l'accord des deux parties, il ne requiert pas le consentement des administrés. C'est pourquoi on dit qu'il est unilatéral. L'AAU peut être établi par une personne publique mais aussi par une personne privée chargée de la gestion d'un service public administratif ou plus rarement d'un service public à caractère industriel et commercial. Néanmoins, tout acte pris par une personne publique n'est pas un AAU (ex : actes législatifs).

▶▶ L'AAU est l'instrument par excellence de l'action administrative. Il bénéficie du «**privilège du préalable**» qui oblige les administrés à se conformer à l'acte même s'ils l'estiment contestable. Une véritable présomption de légalité s'attache aux AAU. Ainsi, même s'ils font l'objet d'un recours devant le juge, ils continuent en principe de produire leurs effets. Par ailleurs, il n'est nul besoin, pour l'administration, de recourir au juge avant de mettre en œuvre son acte, comme cela serait exigé d'un particulier. Le juge administratif affirme même qu'il est vain pour l'administration de lui demander la permission d'agir, alors qu'elle n'en a pas besoin (Conseil d'État, *Préfet de l'Eure*, 30 mai 1913).

Les actes administratifs unilatéraux sont de deux types :

– les **AAU réglementaires** – décrets, arrêtés, délibérations des assemblées des collectivités locales – ont une portée générale et impersonnelle. Ils ne s'adressent pas à des personnes nommément désignées. Différentes autorités peuvent les prendre. Les décrets sont l'œuvre du président de la République ou du Premier ministre. Les arrêtés ont pour auteur les ministres, les préfets, les maires, les présidents de conseil général ou régional ;

– les **AAU non réglementaires** concernent une ou des personnes nommément désignées (ex : permis de construire, refus de titre de séjour, arrêté de nomination). On parle alors d'actes individuels. Ils peuvent être l'œuvre de toute autorité administrative, à condition toutefois qu'ils présentent bien un caractère décisoire (exemple contraire : courrier d'une autorité administrative rappelant à un administré les conditions pour bénéficier d'une prestation).

Toutefois, certaines décisions administratives peuvent échapper à cette dichotomie. Ainsi, les circulaires, qui en principe ne sont pas réglementaires – elles n'ajoutent pas d'éléments à la loi mais l'explicitent –, ont parfois une portée réglementaire. Elles sont alors le plus souvent illégales, car rédigées par les ministres qui ne disposent pas en principe de pouvoir réglementaire, sauf par délégation.

En quoi consistent les contrats administratifs ?

Les contrats administratifs sont une **catégorie de contrats conclus par l'administration**, qui peut également signer des contrats de droit privé. Les contrats – administratifs ou privés – constituent le **second moyen d'action** de l'administration, avec les actes administratifs unilatéraux, dans ses relations avec les administrés.

Un **contrat est dit administratif dans plusieurs cas**.

Tout d'abord, si **la loi** le qualifie comme tel (ex : les marchés de travaux publics par la loi du 28 pluviôse an VIII) ou si un texte déclare le juge administratif compétent pour régler les conflits sur le contrat de l'administration dont il traite.

Sinon, en l'absence de qualification du contrat par un texte, **deux critères** dégagés par la jurisprudence doivent êtres présents :

– **un des signataires du contrat est une personne publique :** ce qui n'exclut pas qu'un contrat entre deux personnes privées soit exceptionnellement qualifié d'administratif (ex : marchés passés pour le compte de l'État entre des entrepreneurs et sociétés concessionnaires d'autoroutes);

– **l'insertion dans le contrat de clauses exorbitantes du droit commun** – c'est-à-dire des clauses qu'on ne trouverait pas dans un contrat privé (ex : modification unilatérale, voire résiliation, du contrat dans l'intérêt du service, sanctions en cas de mauvaise exécution) –, **ou l'association étroite du cosignataire du contrat au service public**. Ces deux derniers critères ne sont pas tenus de se cumuler, ils sont dits «alternatifs».

Enfin, le contrat peut être qualifié d'administratif s'il s'insère dans un cadre législatif et réglementaire particulier rendant son **régime juridique** du contrat «**exorbitant du droit commun**».

▸▸ On distingue **plusieurs types de contrats administratifs** dont les principaux sont les marchés publics, les délégations de service public et les contrats de partenariat public-privé.

Actes administratifs unilatéraux, contrats administratifs : quelles différences ?

▸▸ Tout d'abord, **les actes administratifs unilatéraux (AAU) sont un moyen d'action unilatérale** de l'administration avec ses administrés par lequel elle leur impose sa volonté, tandis que **les contrats administratifs sont un procédé d'action bilatéral** qui suppose un échange de volontés et l'accord des deux parties.

En conséquence, **le contrat peut paraître plus propice à l'association des administrés à l'action administrative**. C'est ce qui explique, pour ses promoteurs, le développement de la vogue de la contractualisation dans le droit administratif français (contrats de plan, contrats de villes moyennes, contrats locaux de sécurité...). En réalité, il convient de nuancer fortement cette appréciation. En effet, d'une part, les prérogatives de l'administration sont importantes dans le cadre contractuel, et d'autre part, plusieurs procédures consultatives se sont développées, depuis 20 ans, au sein de l'action unilatérale de l'administration associant de façon efficace les administrés aux projets d'actes administratifs (ex : les commissions départementales d'expulsion devant lesquelles l'administré concerné se présente avant toute décision d'expulsion).

➧ Mais, **le nombre d'auteurs du texte ne différencie pas l'AAU (un auteur) du contrat administratif (plusieurs signataires).** En effet, les AAU sont parfois l'œuvre de plusieurs autorités. Ainsi, lorsque des mesures prises par l'État concernent plusieurs départements, elles peuvent être mises en œuvre par plusieurs préfets à la fois grâce à un arrêté interpréfectoral. De même, au niveau central, une mesure portant sur l'industrie du cinéma, intéressant à la fois le ministre de l'Économie et celui de la Culture, peut prendre la forme d'un arrêté interministériel.

Abrogation et retrait des actes administratifs unilatéraux

L'abrogation et le retrait sont deux procédures entraînant la disparition des actes administratifs unilatéraux (AAU) concernés, en dehors du cas où l'acte est affecté d'un terme (date) à l'échéance duquel il disparaît ou de celui où l'acte fait l'objet d'une annulation devant le juge.

L'abrogation et le retrait des AAU est un débat essentiel car il pose une question majeure au droit administratif : faut-il privilégier la légalité ou la sécurité juridique ? Autrement dit, peut-on avoir recours au retrait – c'est-à-dire à l'annulation d'un acte administratif en faisant disparaître tous ses effets, y compris passés – ou à l'abrogation – annulation d'un acte administratif pour l'avenir seulement – sans difficulté ou faut-il les réserver à des hypothèses exceptionnelles ?

Dans les deux cas, on distingue l'abrogation ou le retrait d'actes réguliers ou irréguliers et d'actes créateurs de droits ou non.

L'abrogation des actes administratifs unilatéraux

L'abrogation consiste en une **sortie en vigueur de l'acte mettant fin à son existence à l'avenir**, mais sans remettre en cause les effets indirects produits antérieurement lors de son application. Elle met donc fin simplement à l'application de l'acte.

L'abrogation se présente sous deux formes : elle peut être **expresse**, et se manifeste dans ce cas par un acte contraire, **ou tacite** (ex : un permis de construire est caduc si la construction n'est pas entreprise dans un délai de deux ans).

Les autorités administratives ne sont pas totalement libres d'abroger leurs actes. Pour les actes non créateurs de droits, l'administration est libre de les abroger à tout moment, sans aucune condition de légalité et pour simple opportunité. En effet, cette décision ne porte pas atteinte aux administrés.
En revanche, pour les actes créateurs de droits (c'est-à-dire réglementaires), seule leur illégalité peut justifier une abrogation.

Par ailleurs, **l'administration peut être tenue d'abroger un acte**. Ainsi, lorsqu'un changement de circonstances de droit ou de fait vient affecter un acte administratif réglementaire, l'administration peut être tenue de l'abroger (arrêt du Conseil d'État-CE, Sect., 10 janvier 1930, *Despujol*).
Une véritable obligation existe d'abroger un acte réglementaire devenu illégal à la suite notamment de l'intervention d'un acte de droit communautaire (règle posée par CE, Ass., 3 février 1989, *Compagnie Alitalia*).

Le retrait des actes administratifs unilatéraux

Le retrait des AAU est l'opération par laquelle **il est mis fin aux effets d'un acte à partir du moment où il est intervenu. Il est rétroactif** comme l'annulation contentieuse d'un acte par le juge. L'acte est donc censé n'avoir jamais existé.

Le régime du retrait varie selon les actes. S'agissant des actes non créateurs de droits, le retrait est possible, que l'acte soit régulier ou non. Ainsi, pour les actes frauduleux, la règle est claire. Un acte obtenu par fraude, dans l'intention délibérée de tromper l'administration, n'est pas créateur de droit. C'est pourquoi il peut être retiré à tout moment, tout comme un acte inexistant (CE, 29 novembre 2002, *Assistance publique – Hôpitaux de Marseille*).
La question est plus sensible pour les actes créateurs de droits. Dans ce domaine, la jurisprudence était fixée depuis très longtemps. En effet, traditionnellement, le retrait ne pouvait intervenir qu'à deux conditions : que l'acte soit illégal et que le retrait intervienne durant le délai du recours contentieux. Ces deux conditions avaient été posées par **l'arrêt *Dame Cachet*** du Conseil d'État du 3 novembre 1922.

Après une longue évolution, les règles de retrait ont connu un tournant jurisprudentiel. **L'arrêt du Conseil d'État *Ternon***, en date du 26 octobre 2001, est venu rompre avec la jurisprudence *Dame Cachet* en procédant au découplage du retrait et du délai de recours contentieux. Cet arrêt essentiel affirme : « *l'administration ne peut retirer une décision individuelle explicite créatrice de droits, si elle est illégale, que dans le délai de quatre mois suivant la prise de décision* ».
Le délai de retrait se différencie désormais de celui du recours, aussi bien par sa durée (quatre mois au lieu de deux) que par son point de départ (la date d'adoption de la décision au lieu de la formalité de publicité dont celle-ci doit faire l'objet).
L'idée de cette jurisprudence est de préserver la légalité, dès lors que l'administration ne dispose que de quatre mois pour retirer l'acte irrégulier, à l'expiration desquels il devient définitif.

Qu'est-ce qu'une ordonnance ?

Le gouvernement peut demander au Parlement l'autorisation de prendre lui-même des mesures relevant normalement du domaine de la loi afin de mettre en œuvre son programme (art. 38 de la Constitution). L'autorisation lui est donnée par le vote d'une loi d'habilitation. Ces actes sont appelés des ordonnances. Elles ne sont pas inconnues de l'histoire constitutionnelle, car elles existaient déjà sous les IIIe et IVe Républiques sous le nom de décrets-lois.

Les ordonnances sont **prises en Conseil des ministres** et doivent être **signées par le président de la République**. Une controverse a existé pour savoir si le chef de l'État était obligé de les signer. Le président Mitterrand a, quant à lui, refusé d'en signer plusieurs pendant la première cohabitation (1986-1988).

Les ordonnances entrent en vigueur dès leur publication. Mais, un projet de loi de ratification doit être déposé devant le Parlement. Si ce projet n'est pas déposé avant la date fixée par la loi d'habilitation, les ordonnances deviennent caduques. Une fois ce projet déposé, soit l'ordonnance est approuvée par le Parlement et acquiert la valeur de loi, soit elle n'est pas ratifiée et conserve une valeur simplement réglementaire (inférieure à la loi), constituant alors un acte administratif unilatéral.

Depuis le début de la Ve République, les gouvernements ont souvent recouru à la procédure des ordonnances **pour des sujets très techniques ou des réformes très délicates**. On peut ainsi donner l'exemple des « ordonnances Juppé » de 1996 ayant conduit à une importante modification du système de Sécurité sociale française. Le nombre d'ordonnances adoptées sur le fondement de l'article 38 de la Constitution est toutefois en forte augmentation depuis le début des années 2000 (237 ordonnances édictées sur plus de 450 adoptées depuis 1958). L'année 2005 constitue un record, puisque 83 ordonnances ont été publiées.

Qu'est-ce qu'un décret ?

▶▶ **Un décret est un acte réglementaire pris par le président de la République ou le Premier ministre** dans l'exercice de leurs fonctions respectives. En effet, la plupart des activités politiques et administratives de ces deux autorités se traduisent, sur le plan juridique, par des décrets. Ils constituent des actes administratifs unilatéraux.

▶▶ Sur le plan de la forme, **le décret comporte d'abord des visas**, rappelant les textes sur le fondement desquels le décret est pris, **et ensuite un dispositif**, divisé en plusieurs articles, précisant le contenu du décret et ses conséquences juridiques.

▶▶ La portée des décrets est variable. **Ils peuvent être réglementaires**, lorsqu'ils posent une règle générale, et s'appliquent ainsi à un nombre indéterminé de personnes, **ou individuels**, lorsqu'ils ne concernent qu'une ou plusieurs personnes déterminées (ex : décret de nomination d'un haut fonctionnaire).

Les décrets réglementaires sont hiérarchisés entre eux :
– les décrets délibérés en Conseil des ministres sont les plus importants, et sont signés par le président de la République ;
– ensuite, les décrets en Conseil d'État (du Premier ministre), obligatoirement soumis pour avis, avant leur édiction, au Conseil d'État ;
– enfin, les décrets simples, eux aussi pris par le Premier ministre, et qui constituent le mode le plus fréquent d'exercice du pouvoir réglementaire.

▶▶ **Les décrets sont publiés au *Journal officiel*.** Lorsque des procédures d'élaboration exigées par les textes (ex : signature d'un décret pris en Conseil des ministres par le chef de l'État) ne sont pas observées, le décret peut être déclaré nul.

Qu'est-ce qu'un arrêté ?

▶▶ **L'arrêté est un acte émanant d'une autorité administrative autre que le président de la République ou le Premier ministre**. Il peut s'agir des ministres, des préfets, des maires, des présidents de conseil général ou de conseil régional. Le président de la République et le Premier ministre, qui disposent de la possibilité d'édicter des décrets, recourent rarement aux arrêtés, sauf pour organiser leurs services. Les arrêtés sont des actes administratifs unilatéraux.

▶▶ Sur le plan de la forme, **l'arrêté**, comme le décret, **comporte à la fois des visas**, rappelant les textes qui le fondent, **et un dispositif** précisant le contenu de l'acte et ses effets juridiques. Ce dispositif se présente en principe, mais ce n'est pas une obligation, en un ou plusieurs articles.

Comme le décret, la portée de l'arrêté peut être variable. **Il peut être réglementaire**, lorsqu'ils posent une règle générale (ex : un arrêté municipal interdisant à toute personne circulant dans une rue d'y stationner), **ou individuel** (ex : nomination d'un fonctionnaire).

▶▶ Dans la hiérarchie des normes, **l'arrêté est inférieur au décret**.

Qu'est-ce qu'une circulaire ?

▶▶ La circulaire est un **texte qui permet aux autorités administratives** (ministre, recteur, préfet...) **d'informer leurs services**. Il peut s'agir par exemple de faire passer l'information entre les différents services d'un ministère ou du ministère vers ses services déconcentrés sur le terrain. Ces circulaires peuvent prendre d'autres noms, par exemple « note de service » ou encore « instruction ». Ce sont des actes administratifs unilatéraux. On compte chaque année plus de 10 000 circulaires rédigées au sein des différents ministères.

▶▶ **Le plus souvent, la circulaire est prise à l'occasion de la parution d'un texte** (loi, décret...) afin de le présenter aux agents qui vont devoir l'appliquer. Mais, la circulaire doit se contenter de l'expliquer et ne peut rien ajouter au texte.

Le Conseil d'État distinguait traditionnellement :
– les «**circulaires interprétatives**» qui se contentaient de rappeler ou de commenter le texte (loi, décret surtout). Elles ne constituaient pas une décision, puisqu'elles ne créaient pas de règle nouvelle et les administrés ne pouvaient pas les attaquer devant le juge administratif;
– les «**circulaires réglementaires**» qui ajoutaient des éléments au texte qu'elles devaient seulement commenter et ainsi créaient des règles nouvelles. Les administrés pouvaient alors attaquer ces circulaires devant le juge administratif. Très souvent, elles étaient annulées, car l'autorité qui les avait rédigées pouvait commenter la loi ou le décret, mais n'était nullement compétente pour ajouter à ces textes.

Depuis **l'arrêt** de section du Conseil d'État ***Mme Duvignères* du 18 décembre 2002, la distinction** entre circulaires interprétatives et réglementaires **est abandonnée.** Le Conseil d'État a fixé, comme nouveau critère de recevabilité pour les recours contre les circulaires, le caractère impératif. Ainsi, toute circulaire dotée de dispositions à caractère impératif est désormais attaquable.

Quelle est la hiérarchie entre ces différents textes ?

▶▶ Le principe est simple : **la hiérarchie entre ces différents textes découle de la position institutionnelle de leur auteur**.

▶▶ **Si l'ordonnance a été ratifiée, elle a la valeur la plus élevée**, puisqu'elle a la même valeur qu'une loi. S'agissant des autres textes, plus leur auteur est élevé dans la hiérarchie administrative, plus leur valeur est grande. Ainsi, les décrets l'emportent toujours sur les arrêtés. Les circulaires n'ont pas, en principe, la valeur d'une décision.

▶▶ **Au sein de chaque catégorie, le principe demeure le même**. C'est pourquoi un décret délibéré en Conseil des ministres, parce qu'il est signé par le président de la République, est supérieur aux décrets signés par le Premier ministre. De la même façon, l'arrêté pris par un ministre l'emporte sur un arrêté signé par un préfet, qui lui-même est supérieur à un arrêté municipal.

De cette manière, **il ne doit pas, en principe, y avoir de contrariété de décisions**, puisque l'autorité supérieure l'emporte. Si par hasard la même autorité prenait deux décisions contraires, le principe est que la dernière en date l'emporte.

Que sont des marchés publics et des délégations de service public ?

Les marchés publics et les délégations de service public sont **deux types de contrats administratifs**.

Les marchés publics permettent à l'administration de recourir à une personne publique ou privée pour répondre à ses besoins en matière de travaux, de fournitures ou de services, nécessaires à l'exécution d'un service public, en échange d'un prix qu'elle acquitte. Ce sont des contrats conclus par l'État et ses établissements publics administratifs (ceux à caractère industriel et commercial en sont exclus) ou les collectivités territoriales et les établissements publics locaux.
Il existe plusieurs types de marchés publics : les marchés de travaux publics pour la construction de bâtiments publics, les marchés de fourniture nécessaire au fonctionnement de l'administration (ex : papier, équipements divers), les marchés de services pour la réalisation de prestations (ex : nettoyage de locaux administratifs).

Les délégations de service public (DSP) sont des contrats administratifs (appelés conventions) par lesquels une personne morale de droit public confie à une personne, publique – une autre administration publique – ou privée – qui peut être un particulier ou une entreprise –, la gestion d'un service public dont elle a la responsabilité pour une durée limitée. Le bénéficiaire de la DSP peut être chargé de construire des ouvrages ou d'acquérir des biens nécessaires au service. Contrairement aux marchés, il n'est pas rémunéré par un prix versé par l'administration, mais par les recettes d'exploitation du service.

L'expression «délégation de service public» est apparue dans la loi «Sapin» du 29 janvier 1993. Elle regroupe plusieurs procédés qui existaient déjà auparavant et qui constituent aujourd'hui les différents types de DSP : la concession de travaux publics avec service public pour la construction d'un ouvrage (ex : autoroutes, ponts à péage), la concession de service public (non liée à la construction d'un ouvrage public), l'affermage (gestion de structures déjà disponibles) et la régie intéressée.

▶▶ Ces dernières années, malgré leurs différences, **les régimes juridiques des DSP et des marchés publics se sont rapprochés** sous l'effet du droit communautaire qui exige le respect des principes de concurrence et de transparence.

Quelles sont les nouvelles modalités de passation des marchés publics ?

La passation des marchés est soumise aux règles contenues dans le nouveau Code des marchés publics de 2006. Ce nouveau Code permet la transposition dans le droit français des deux directives européennes «marchés publics» du 31 mars 2004. Il poursuit également les réformes de mars 2001 et de janvier 2004 afin de répondre aux besoins de simplification et de transparence des procédures.

▶▶ Ainsi les marchés peuvent être passés sans formalités préalables quand leur montant est inférieur à 90 000 € hors taxe. Au-delà de cette somme, ils sont soumis à des procédures précises mais simplifiées par ce nouveau Code (appel d'offres au-delà de 130 000 € hors taxe pour l'État et de 200 000 € hors taxe pour les collectivités territoriales, procédures de mise en concurrence simplifiée, négociée ou du concours).

▶▶ L'entreprise qui passe contrat avec une personne publique subit un certain nombre de contraintes. Ainsi, l'administration dispose d'un droit de direction et de contrôle de l'exécution du contrat lui permettant, par exemple, de vérifier l'état d'avancement des travaux. Elle peut aussi sanctionner l'entreprise défaillante par des pénalités de retard ou par la résiliation du contrat.

Les nouvelles formes contractuelles

L'environnement contractuel des personnes publiques a, ces dernières années, connu de très sensibles évolutions. Les formes traditionnelles ont eu tendance à se rapprocher, tandis que le développement de nouvelles formes contractuelles, dont l'inspiration est anglo-saxonne, a été encouragé.

Le rapprochement entre les marchés publics et les délégations de service public

Pendant longtemps, les délégations de service public (telles que les concessions de service public, par exemple) et les marchés publics se distinguaient clairement par leur objet, leur régime juridique ainsi que leur mode de rémunération. Mais **ces différences se sont fortement estompées, essentiellement sous l'influence du droit communautaire**.

Il est vrai qu'avant même la loi Sapin (29 janvier 1993), certaines personnes publiques s'étaient engagées, de leur propre initiative, à restreindre leur liberté de choix dans le cadre de ce qu'on allait appeler ensuite des délégations de service public. En effet, le juge administratif estimait que ladite personne publique était ensuite tenue par ses engagements en la matière.

Mais, les évolutions majeures résident surtout dans plusieurs directives communautaires, notamment du 18 juillet 1989 portant coordination des procédures de passation des marchés publics de travaux et du 18 juin 1992 portant coordination des procédures de passation des marchés publics de services, qui ont imposé de nouvelles formalités de publicité préalable et de mise en concurrence dans les procédures de délégations de service public, qui jusque-là jouissaient d'un statut juridique beaucoup plus souple. En effet, l'administration était alors libre de négocier avec qui elle voulait, de donner le contenu qu'elle souhaitait au cahier des charges et de déléguer le service public *intuitu personae* (en considération même de la personne du cocontractant). C'est pour **transposer ces directives que la loi dite Sapin du 29 janvier 1993** relative à la prévention de la corruption et à la transparence de la vie économique et des procédures publiques organise des procédures de publicité pour le choix du délégataire. Les délégations se sont ainsi rapprochées des marchés publics qui connaissent également des procédures de publicité et codifiées pour le choix du prestataire.

Le renouveau des formes contractuelles

De nouveaux contrats ont été créés offrant aux administrations un choix plus vaste dans les types de contrats possibles.
Il s'agit des « **partenariats public-privé** » **(PPP).** Ces contrats permettent à l'administration de confier, pour une longue durée et dans une même convention, à la fois des prestations d'études, de financement, de travaux, de fourniture,

d'entretien, ou de services et de réunir des éléments relevant en principe des marchés publics et des délégations de service public. C'est pourquoi l'on parle souvent à leur propos de **« contrats globaux ».**

Ces contrats sont d'abord apparus dans des lois éparses – loi d'orientation et de programmation pour la sécurité intérieure du 29 août 2002 (dite « LOPSI ») ou loi d'orientation et de programmation pour la justice du 9 Septembre 2002 (dite « LOPJ » – avant d'être **organisés par l'ordonnance du 17 juin 2004.**

Ce texte essentiel a été pris sur le fondement de la loi d'habilitation du 2 juillet 2003 habilitant le gouvernement à simplifier le droit et a officialisé le « contrat de partenariat public-privé ». Il a pour objet de fournir à l'administration certains moyens matériels du service public (tels que des ouvrages), comme le font des marchés publics. Mais, contrairement à ces derniers, la mission confiée au cocontractant est globale et comprend plusieurs opérations complexes (appel aux financements privés, construction de l'ouvrage, entretien et exploitation des équipements, voire fourniture de prestations de services). Toutefois, le Conseil constitutionnel a limité, dans sa décision du 26 juin 2003 portant sur la loi d'habilitation de juillet 2003, l'ampleur du domaine de ces « PPP ». Il exige que la formule soit réservée « à des situations répondant à des motifs d'intérêt général » telles que l'urgence à rattraper un retard préjudiciable ou la nécessité de tenir compte des caractéristiques techniques, fonctionnelles ou économiques d'un équipement ou d'un service. Les partenariats public-privé doivent demeurer une catégorie d'exception.

Les dangers potentiels des nouvelles formes contractuelles

Cependant, cette libéralisation, à laquelle procèdent les partenariats public-privé, est contestée.

Pour certains observateurs, cette déréglementation n'est pas nécessaire. L'ordonnance du 17 juin 2004 crée, en effet, de nombreuses dérogations au droit existant qui avait précisément pour objet de protéger la concurrence et la transparence. Cette évolution s'accompagne en outre d'une tendance à la privatisation (emprise du droit privé sur des activités qui étaient auparavant soumises au droit public). Surtout, le présupposé qui sous-tend la réforme – la gestion privée serait meilleure que la gestion publique – est contesté. En effet, les expériences anglo-saxonnes en la matière ne sont guère convaincantes de ce point de vue (le contre-exemple absolu étant le métro de Londres).

Par ailleurs, **certains effets pervers potentiels des partenariats public-privé sont dénoncés**. Ces PPP vont s'appliquer à de grands projets d'aménagement ou à des rattrapages de situations d'urgence, telles que la construction de prisons ou de gendarmeries. Il y a alors un risque pour que les PME soient exclues de ces nouveaux contrats qui deviendraient, *de facto*, des monopoles des grands groupes de travaux publics. Par ailleurs, la détermination des conditions de recours restrictives aux PPP par la jurisprudence, et non par la loi, implique que l'application de ces règles dépendra du contrôle rigoureux du juge.

Une action encadrée

L'administration est-elle libre d'agir ?

L'administration n'est pas toujours libre d'agir à sa guise. Il convient en réalité de distinguer deux situations.

▶▶ Dans un premier cas, l'administration ne dispose absolument d'aucun pouvoir d'appréciation. On dit qu'elle se trouve dans une **situation de compétence liée**. Le contenu de la décision administrative est alors totalement prédéterminé par la loi qui définit certains éléments de fait nécessaires à la prise de décision (ex : si une personne a un revenu inférieur à telle somme, telle prestation doit obligatoirement lui être accordée).

▶▶ Dans d'autres situations, l'administration dispose d'un **pouvoir d'appréciation**, qui peut lui-même se subdiviser en deux. Dans certains cas, la décision de l'administration est subordonnée à des éléments de fait, qu'elle doit elle-même apprécier (ex : en droit des étrangers, des éléments tels que la bonne intégration à la société française ou le sérieux des études suivies). En revanche, dans d'autres cas, la décision administrative peut être totalement indépendante des éléments de fait. L'administration dispose alors de ce que l'on nomme un **pouvoir discrétionnaire**. Cela signifie que la loi, qui a donné une compétence particulière à une autorité administrative, la laisse libre de choisir entre plusieurs décisions, qui toutes seront légales. Plus le domaine est technique, plus le juge administratif a tendance à considérer que l'administration doit disposer d'un tel pouvoir discrétionnaire.

▶▶ **Le contrôle exercé par le juge administratif** sur ces différents types d'action administrative **n'est pas forcément figé**. Ainsi, dans certains domaines soumis au pouvoir discrétionnaire de l'administration, on est peu à peu passé d'une absence de contrôle, à un contrôle minimal dit de l'erreur manifeste d'appréciation (on vérifie que l'administration n'a pas commis d'abus grossiers par une mauvaise appréciation des faits), pour finir par un contrôle renforcé dit de proportionnalité (on vérifie l'adéquation de la décision de l'administration aux motifs). Les décisions prises dans le cadre d'un pouvoir discrétionnaire n'échappent donc pas au droit et ne sont pas nécessairement protégées d'un contrôle efficace du juge.

Qu'est-ce que le principe de légalité ?

Le principe de légalité se définit comme la **soumission de l'administration au droit**.

▶▶ **Une norme établie par l'administration** (ex : décret, arrêté) **doit donc toujours être conforme à celles qui lui sont supérieures** (obligation de conformité). Le terme « légalité » indique que la loi est la norme supérieure essentielle à respecter pour l'administration. Mais elle est loin d'être la seule :

– La **norme constitutionnelle** doit être respectée par l'administration, lorsqu'un acte administratif fait directement application de la Constitution. En revanche, lorsqu'un acte administratif est conforme à une loi dont il fait application, le juge administratif ne le sanctionne pas s'il viole une disposition constitutionnelle. En effet, il sanctionnerait alors l'inconstitutionnalité de la loi, ce qui est du ressort du Conseil constitutionnel (théorie de la « loi-écran »).

– Les **traités et conventions internationales**, même lorsqu'une loi contraire à ces textes est adoptée ensuite, depuis un arrêt de principe de 1989 (Conseil d'État, 20 octobre 1989, *Nicolo*).

– Les **lois et règlements** sont la source la plus importante quantitativement de la légalité.

– Les **principes généraux du droit** : les administrations doivent également respecter des principes non écrits, dégagés par le juge administratif, et qui ont une valeur supérieure aux normes administratives.

– Enfin, **au sein même des actes administratifs, il existe une hiérarchie** : les normes réglementaires ont une valeur supérieure à celle des actes individuels (ex : arrêté de nomination). De plus, pour un même type d'actes, celui qui émane de l'autorité administrative supérieure, l'emporte.

▶▶ Pour sanctionner l'illégalité d'un acte administratif et l'annuler, il existe **deux types de contrôles** : le contrôle **administratif**, exercé par l'auteur de l'acte lui-même ou son supérieur hiérarchique, et le contrôle **juridictionnel** exercé par le juge administratif (procédure du recours pour excès de pouvoir).

La responsabilité des acteurs locaux

Dans les collectivités territoriales, 520 000 élus et 1,6 million d'agents publics (fonctionnaires et contractuels) administrent de nombreux services publics locaux, essentiels à la qualité de la vie quotidienne des citoyens. L'exercice de ces responsabilités nouvelles, issues de la décentralisation, comporte des risques, administratifs, judiciaires et financiers, qui ont conduit les acteurs locaux à intégrer à leur gestion une action de prévention et de maîtrise des risques. Les propositions de la commission Mauroy (rapport d'octobre 2000) visent à lutter contre le sentiment d'insécurité juridique, non tant en raison d'un plus grand nombre de fautes constatées, que d'un accroissement des contrôles.

Exercice des responsabilités

Les collectivités détiennent une responsabilité d'organisation des services publics locaux. Ces derniers concourent à l'aménagement d'espaces territoriaux ; permettent le fonctionnement d'équipements et de services ; contribuent à redistribuer des richesses en faveur de zones géographiques, de groupes sociaux, de familles ou d'individus, au nom d'intérêts collectifs ou d'objectifs de solidarité. L'esprit de ces politiques est la recherche du partenariat, avec l'État, les autres collectivités territoriales, les acteurs locaux. Le maire, les présidents de conseil général, de conseil régional et d'établissement public de coopération intercommunale (EPCI) disposent du pouvoir exécutif de leur collectivité ou de leur établissement. À ce titre, ils préparent les délibérations de l'assemblée qu'ils président et sont chargés de leur exécution (ordonnancement et réalisation du budget, nomination aux postes de fonctionnaires...).
Cependant, la combinaison des nombreux pouvoirs et des diverses délégations possibles (de pouvoirs, de fonction, de responsabilité, de signature) peut engendrer une confusion des rôles et l'émiettement des responsabilités au sein d'une collectivité territoriale. La définition explicite de chaque rôle doit donc être précisée.

Principes de mise en cause de la responsabilité des agents publics

Mises en cause de la responsabilité financière

Deux catégories de mises en cause financière des agents publics peuvent être distinguées : la condamnation pour faute de gestion ou celle pour gestion de fait.
Le Code des juridictions financières comporte de nombreuses infractions aux règles de la comptabilité publique, dites fautes de gestion, sanctionnées par la Cour de discipline budgétaire et financière :
– celles qui sont susceptibles d'être commises par les fonctionnaires territoriaux naissent non seulement d'infractions aux règles d'exécution du budget,

mais aussi de ce que l'agent n'a pas fait mais qu'il aurait dû faire, même quand aucun texte ne prescrivait explicitement la conduite à tenir (défaut de surveillance ou d'organisation, dissimulation...);
– l'élu local, quant à lui, peut être traduit devant cette Cour, en tant qu'ordonnateur, dans des cas précis : la non-exécution de décisions de justice entraînant le paiement d'une somme d'argent et, en cas de réquisition du comptable public, l'octroi d'avantages injustifiés à autrui au préjudice de la collectivité.

La gestion de fait vise à sanctionner l'ingérence dans le recouvrement des recettes affectées ou destinées à un organisme public, par tout agent public qui n'a pas la qualité de comptable public, ou qui n'agit pas sous son contrôle et pour le compte d'un comptable public. Il peut, en ce cas, être déclaré comptable de fait et accusé de gestion de fait par la chambre régionale des comptes, qui enquête sur les fonds irrégulièrement détenus ou maniés.

Mises en cause de la responsabilité pénale

Le Code pénal prévoit plusieurs infractions propres aux agents publics :
– l'abus d'autorité, dirigés contre l'administration (faire échec à l'exécution de la loi...), ou commis contre des particuliers (ex : discrimination);
– les atteintes à la confiance publique (ex : faux en écritures);
– le manquement au devoir de probité (ex : corruption).

Les élus et fonctionnaires locaux sont également menacés par de nombreuses autres infractions prévues, par exemple, par le droit de l'urbanisme, par le droit rural ou encore par le droit de l'environnement.

Le principe de responsabilité pénale des personnes morales publiques est cependant assorti d'une importante limite : les collectivités territoriales ne peuvent engager leur responsabilité pénale que pour quelques infractions commises dans l'exercice d'activités susceptibles de faire l'objet de conventions de délégations de service public. La responsabilité de la personne morale ne fait cependant pas obstacle à celle de ses dirigeants, ce qui évite la dilution des responsabilités des personnes physiques, et permet de ne pas dissimuler les fautes individuelles derrière la responsabilité de la collectivité.

Mises en cause de la responsabilité administrative

Lorsque l'administration, dans l'exercice de ses activités, cause un dommage et fait subir un préjudice, la victime peut demander réparation. Si le noyau du régime juridique de la responsabilité de la puissance publique relève du droit public, le droit privé intervient aussi pour assurer la réparation de préjudices nés d'activités de l'administration (gestion d'activités dans les mêmes conditions que des particuliers, gestion du domaine privé des personnes publiques...).

Une faute est dite de service lorsqu'un agent public a commis une faute dans l'exercice de ses fonctions, et que cette faute n'est pas détachable du service. Dans ce cas, l'administration prend en charge la responsabilité civile de l'acte en cause.

L'administration doit-elle respecter le droit de la concurrence ?

L'administration, *via* ses entreprises publiques, est désormais soumise au droit de la concurrence. En effet, depuis les années 1980, le développement du droit de la concurrence, aussi bien communautaire que national, a fait évoluer la jurisprudence dans ce domaine.

▶▶ Ainsi, le **traité instituant la Communauté européenne** (TCE) établit que les entreprises chargées de services d'intérêt économique général sont soumises aux règles définies par le traité en matière de concurrence (art. 86-2 TCE). En droit français, **l'ordonnance du 1er décembre 1986** sur la liberté des prix et de la concurrence a précisé que les règles qu'elle définissait en la matière s'appliquaient également aux activités de production, de distribution et de services des personnes publiques (art. 53).
En conséquence, après certaines hésitations, le Conseil d'État a finalement accepté d'apprécier la validité d'un acte administratif au regard de l'ordonnance du 1er décembre 1986 (Conseil d'État, 3 novembre 1997, *Société Million et Marais*). La question de la conciliation des exigences de service public avec celles du droit de la concurrence et de son impact sur l'action de l'administration est complexe. Le Conseil d'État lui a d'ailleurs consacré son rapport public en 2002, *Collectivités publiques et concurrence*.

▶▶ **Ces évolutions juridiques se sont traduites notamment dans le secteur des télécommunications et de l'énergie**. Ainsi, la loi du 31 décembre 2003 a redéfini le service universel de télécommunications en précisant qu'il peut être attribué à d'autres opérateurs que France Télécom, dont elle a prévu la privatisation (effective en septembre 2004). De même, la loi du 3 janvier 2003 a permis le développement de la concurrence dans les secteurs du gaz et de l'électricité. EDF et GDF sont d'ailleurs devenues des sociétés anonymes depuis novembre 2004.

Quelles sont les différentes formes de responsabilité de l'administration ?

L'administration est soumise au principe de responsabilité, qui l'oblige à réparer les dommages causés par son fait. Il peut prendre plusieurs formes :

– La **responsabilité contractuelle** concerne les relations de l'administration et des personnes signataires d'un contrat avec elle (cocontractants). Si l'administration, ou son cocontractant, n'exécute pas les obligations prévues au contrat, l'autre partie peut saisir le juge afin d'obtenir réparation à ces manquements contractuels.

– Dans les autres cas, la **responsabilité** est dite « **extra-contractuelle** », car elle ne trouve pas son fondement dans un contrat. La responsabilité peut alors être une **responsabilité pour faute** – la victime doit alors démontrer une faute de l'administration –, ou une **responsabilité sans faute** – il faut seulement prouver que le dommage est en lien avec une activité de l'administration qui n'a pas commis de faute pour autant.
Lorsque la responsabilité est pour faute, celle-ci peut être qualifiée de **simple ou lourde**. En principe, une faute simple suffit aujourd'hui à engager la responsabilité de l'administration, sauf dans certains cas où une faute lourde demeure exigée.
Lorsque la responsabilité est sans faute, elle peut être de deux types : soit « **pour risque** » (ex : dommages liés à des travaux publics, à l'utilisation d'engins dangereux comme des explosifs, à des risques subis par les agents pendant leur service), soit pour « **rupture d'égalité devant les charges publiques** » du fait des lois et des décisions légales (ex : une loi interdit la commercialisation d'un produit qui a fait la fortune d'une entreprise ruinant de ce fait cette dernière).

L'administration est-elle soumise au principe de précaution ?

Le principe de précaution s'impose désormais aux administrations. Il les oblige à développer en leur sein des procédures de prévision et d'évaluation afin de tenter de prévenir les risques majeurs pouvant conduire à l'engagement de leur responsabilité.

▶▶ Le principe de précaution a été **introduit en droit français par la loi Barnier du 2 février 1995** sur le renforcement de la protection de l'environnement. Il s'agit du principe selon lequel « *l'absence de certitudes, compte tenu des connaissances scientifiques et techniques du moment, ne doit pas retarder l'adoption de mesures effectives et proportionnées visant à prévenir un risque de dommages graves et irréversibles à l'environnement à un coût économique acceptable* ». Le Conseil d'État a fait application de ce principe. Dans son arrêt *Association Greenpeace France* du 25 septembre 1998, il a prononcé sur ce fondement un sursis à exécution d'un arrêté du ministère de l'Agriculture et de la Pêche qui autorisait la commercialisation de variétés de maïs génétiquement modifié.

▶▶ Ce principe a aujourd'hui **valeur constitutionnelle**. En effet, la révision constitutionnelle du 1er mars 2005 a annexé la Charte de l'environnement à la Constitution. Or, l'article 5 de la Charte dispose que « *Lorsque la réalisation d'un dommage, bien qu'incertaine en l'état des connaissances scientifiques, pourrait affecter de manière grave et irréversible l'environnement, les autorités publiques veillent, par application du principe de précaution et dans leurs domaines d'attributions, à la mise en œuvre de procédures d'évaluation des risques et à l'adoption de mesures provisoires et proportionnées afin de parer à la réalisation du dommage* ».

L'administration pénitentiaire : un exemple d'administration de plus en plus contrôlée

Pendant longtemps, l'administration pénitentiaire a été peu contrôlée. En effet, on considérait que, compte tenu des particularités de la population en cause (des détenus privés de liberté à titre de peine ou dans l'attente d'un procès), les décisions prises par l'autorité administrative au sein des prisons ne pouvaient porter préjudice aux détenus qu'à la marge. C'est en se fondant sur l'adage « *De minimis non curat praetor* » (« *Le juge ne se soucie pas des choses minimes* ») que les observateurs justifiaient l'impossibilité pour les détenus de contester nombre de décisions, notamment disciplinaires, devant le juge administratif, qualifiées par ce dernier de « mesures d'ordre intérieur » et à ce titre non susceptibles de recours.

Cependant, depuis plus de dix ans, les choses ont évolué.

Limitation du champ des mesures d'ordre intérieur dans le domaine pénitentiaire

La décision essentielle en la matière est **l'arrêt *Marie* du 17 février 1995**. Le Conseil d'État décide alors que, désormais, le placement en cellule disciplinaire ne constitue plus une mesure d'ordre intérieur et peut faire l'objet d'un recours pour excès de pouvoir devant le juge administratif pour demander l'annulation de l'acte. La Haute juridiction administrative revient ainsi sur la jurisprudence précédente dite *Caillol* de 1984 (arrêt du 27 janvier).

Une **nouvelle avancée est intervenue grâce à l'arrêt *Garde des Sceaux contre Remli* en date du 30 juillet 2003**. Par cette décision, le Conseil d'État accepte les recours pour excès de pouvoir exercés contre les mises à l'isolement, lorsqu'elles sont imposées aux détenus. Il convient de préciser que ces mesures, contrairement au placement en cellule disciplinaire, n'ont pas le caractère d'une sanction disciplinaire. Cet arrêt revient sur la jurisprudence *Fauqueux* datant de 1996 (arrêt du 28 février).

Dans ces deux décisions, le Conseil d'État insiste sur les conséquences concrètes de la mesure sur les conditions de la détention (privation des activités sportives, de la formation, éventuelle restriction du droit à la correspondance...).

Ceci étant, ce nouveau cours jurisprudentiel **ne signifie pas pour autant que les mesures d'ordre intérieur ont disparu du droit pénitentiaire**. C'est ce qu'est venu rappeler le Conseil d'État dans un arrêt *Garde des Sceaux contre Frérot* du 12 mars 2003. Dans cette décision, le Conseil estime que, contrairement au placement en cellule disciplinaire à titre de punition, la mise en cellule disciplinaire à titre préventif pour une durée n'excédant pas deux jours continue de relever de la catégorie des mesures d'ordre intérieur, insusceptibles de recours. Le Conseil d'État se fonde essentiellement sur le caractère provisoire et la durée brève de la mesure.

Engagement plus aisé de la responsabilité de l'administration pénitentiaire

On sait que la responsabilité de l'administration peut être, lorsqu'elle est engagée pour une faute de l'administration, retenue pour faute simple ou pour faute lourde. Pendant longtemps, la responsabilité de l'administration pénitentiaire ne pouvait être engagée que pour faute lourde. En effet, l'administration évolue dans un contexte très particulier, organisé par des impératifs de sécurité (éviter la fuite des détenus, prévenir la violence entre détenus...).

Pourtant, le Conseil d'État, suivant en cela une tendance plus générale à la limitation du champ de la faute lourde, a décidé d'engager la responsabilité de l'administration pénitentiaire pour faute simple dans **l'arrêt *Chabba* du 23 mai 2003**. Ce texte traitait du suicide d'un détenu qui avait été placé en détention provisoire.

Néanmoins, afin de ne pas tirer des conclusions hâtives sur cette jurisprudence, il convient de préciser que le Conseil d'État a relevé à l'encontre de l'administration pénitentiaire plusieurs fautes commises en un temps rapproché. On peut donc en conclure que, si la faute pour engager la responsabilité du service est désormais simple, il faut toutefois qu'elle soit suffisamment caractérisée pour donner lieu à une indemnisation au bénéfice de la victime ou de ses ayants droit.

Prise en compte par le juge des particularités de l'administration des prisons

En effet, les référés sont rarement couronnés de succès lorsqu'ils sont engagés à l'encontre de l'administration pénitentiaire. Ainsi, dans une ordonnance rendue le 10 février 2004 dans l'affaire *Garde des Sceaux contre Soltani*, le Conseil d'État a estimé que le placement en cellule disciplinaire ne pouvait, en l'absence de circonstances particulières, porter par elle-même une atteinte grave à une liberté fondamentale.

De même, le juge administratif n'a jusqu'à aujourd'hui jamais considéré que les stipulations de la Convention européenne de sauvegarde des droits de l'homme et des libertés fondamentales de 1950, qui protègent le droit à une vie familiale, pouvaient être utilement invoquées à l'encontre d'une mesure de placement en cellule disciplinaire, alors même que cette mesure a pour effet de priver le détenu de droit de visite.

Ainsi, malgré une évolution jurisprudentielle favorable aux détenus et un resserrement du contrôle sur l'administration pénitentiaire, cette dernière jouit encore d'une large marge de manœuvre.

CHAPITRE 7

UNE ADMINISTRATION CONTRÔLÉE

La justice administrative : le contrôle juridictionnel

Pourquoi une justice administrative ?

L'existence d'une juridiction administrative s'explique par la nécessité de juger et de contrôler l'administration afin de régler les conflits entre l'administration et les usagers. Dans certains pays, notamment anglo-saxons, l'administration est jugée comme un particulier devant les mêmes juridictions. Mais en France, le règlement des litiges est obtenu devant un juge spécialisé : le juge administratif. Les juridictions administratives sont des tribunaux à part entière, distincts des tribunaux judiciaires. Ils constituent un ordre de juridiction particulier : l'ordre administratif.

La création de la justice administrative est le fruit de plusieurs étapes :

– Sous la Révolution (loi des 16 et 24 août 1790 et décret du 16 fructidor an III), les révolutionnaires décident que les juges ne peuvent pas intervenir dans les affaires de l'administration. C'est l'apparition du principe de la séparation des autorités administratives et judiciaires. Mais il n'existe pas encore de tribunal administratif. Un administré en conflit avec une administration doit s'adresser en dernier lieu au ministre, qui est à la fois juge et partie (système dit du « ministre juge »).

– En 1799 et 1800, la Constitution de l'an VIII crée le Conseil d'État et la loi du 28 pluviôse an VIII, les conseils de préfecture (CP) départementaux, compétents pour des domaines précis. La compétence du Conseil d'État est consultative : la décision en ce domaine demeure théoriquement celle du chef d'État, le Conseil ne faisant que proposer une solution. Mais, dans la majorité des cas, ses projets d'arrêts sont suivis (système dit de la « justice retenue »). Mais, ce système ne met pas fin au précédent : à l'exception des compétences des CP, les ministres restent les juges administratifs de droit commun devant lesquels les administrés portent leur requête, les recours ensuite devant le Conseil d'État ne sont que des appels.

– La loi du 24 mai 1872 permet au Conseil d'État de devenir un juge administratif à part entière décidant lui-même sans intervention du pouvoir exécutif (système dit de la « justice déléguée »). De plus, par son arrêt *Cadot* du 13 décembre 1889, il abandonne la doctrine du ministre-juge et devient juge administratif de droit commun.

– Les décisions du Conseil constitutionnel du 22 juillet 1980 et du 23 janvier 1987 ont accordé une valeur constitutionnelle à l'indépendance et à la compétence de la juridiction administrative.

La dualité de juridiction : raisons d'être et remises en cause

La France se caractérise par une organisation juridictionnelle originale. Les juridictions se divisent en deux grandes catégories : d'un côté, des juridictions judiciaires, qui tranchent les litiges entre personnes privées ou opposant l'État aux personnes privées dans le domaine pénal ; de l'autre, des juridictions administratives, qui jugent les affaires opposant les administrations aux administrés, ou encore différentes personnes publiques entre elles. Ce système trouve sa raison d'être dans l'histoire, mais constitue depuis longtemps l'objet de critiques.

Une organisation juridictionnelle qui trouve ses racines dans l'histoire

L'autonomie de la juridiction administrative trouve ses origines dans l'Ancien Régime, à l'époque où le roi tentait d'affirmer son autorité et celle de ses intendants face au pouvoir judiciaire des anciens parlements provinciaux. Ainsi, déjà en **1641**, l'**édit de Saint-Germain** interdisait aux juges de se mêler des affaires de l'État, de l'administration ou du gouvernement. Mais, cet édit n'eut que peu d'effets.

Les révolutionnaires, attachés au pouvoir des autorités élues, réagissent contre ce pouvoir judiciaire. Ils s'en méfient car ils gardent le souvenir des parlements d'Ancien Régime et de leur réticence aux tentatives de réforme. Ils développent donc une approche originale de la séparation des pouvoirs, qui implique la séparation des autorités administratives et judiciaires. En effet, pour eux, il est plus essentiel de soustraire le contentieux administratif aux tribunaux judiciaires (indépendance) qu'à l'administration active, comme c'est le cas dans les pays anglo-saxons (spécialisation). Cette conception trouve sa traduction dans la fameuse **loi des 16 et 24 août 1790** : « *Les fonctions judiciaires sont distinctes et demeureront toujours séparées des fonctions administratives. Les juges ne pourront, à peine de forfaiture, troubler, de quelque manière que ce soit, les opérations des corps administratifs, ni citer devant eux les administrateurs pour raison de leurs fonctions* ». Mais encore une fois, le respect très relatif du texte oblige les pouvoirs publics à rappeler la règle dans **le décret du 16 fructidor an III** : « *Défenses itératives sont faites aux tribunaux de connaître des actes d'administration, de quelque espèce qu'ils soient, aux peines de droit* ».

Toutefois, ce système était pour le moins étrange car, s'il interdisait aux juges « judiciaires » de se mêler des affaires de l'administration, il n'existait pas pour autant de « juge administratif ». On se trouvait dans un système dit de « ministre-juge », le ministre étant juge des litiges impliquant son administration. On pouvait à l'évidence douter de son impartialité, puisqu'il était à la fois juge et partie. C'est pourquoi **la Constitution du 22 frimaire an VIII prévoit, en son article 52, la création du Conseil d'État**, chargé à la fois de préparer les textes du gouvernement et de régler (en proposant une solution au chef de l'État) les litiges « *s'élevant en matière administrative* ». On se trouve alors dans un système de « justice retenue » (c'est le chef de l'État qui prend la décision). Il faut attendre **la loi du 24 mai 1872** pour passer à un système de « justice déléguée », dans lequel le Conseil d'État devient un vrai juge, et **l'arrêt *Cadot*** du Conseil d'État du 13 décembre 1889 pour voir disparaître le sytème du « ministre-juge » qui avait continué d'exister en parallèle.

Une organisation juridictionnelle critiquée

La critique majeure est que **l'existence d'un juge spécifique pour l'administration est source de complexité pour les justiciables**. Ces derniers risquent de se méprendre sur le juge compétent. Par ailleurs, il existe un risque de ralentissement de la procédure : en effet, le juge judiciaire peut être amené à saisir le juge administratif d'une « question préjudicielle », c'est-à-dire à lui demander de régler un point de droit qui n'est pas de sa compétence et qui commande l'issue du procès judiciaire. Il en est de même dans l'autre sens ou lorsque des questions de compétence obligent le juge judiciaire ou le juge administratif à saisir le Tribunal des conflits.

Il convient toutefois de **relativiser cette critique**. En effet, la majorité des dossiers ne donne pas lieu à des difficultés de compétence. À titre d'exemple, on peut souligner que sur plusieurs millions de décisions juridictionnelles rendues chaque année, le Tribunal des conflits n'est saisi qu'une cinquantaine de fois par an.
La coopération des deux ordres de juridictions pourrait néanmoins être améliorée. Ainsi, on pourrait imaginer qu'un juge, se considérant incompétent sur un point de droit, puisse saisir lui-même le juge compétent pour traiter la question, alors qu'aujourd'hui il revient aux parties elles-mêmes (ex : administrés) de le faire, avec les risques d'erreur que cela comporte.

La seconde critique repose sur le fait que l'administration dispose d'un « privilège de juridiction », ce qui ferait du droit administratif un droit inégalitaire au détriment du justiciable. Ce dernier est jugé selon des règles différentes et supposées moins avantageuses pour lui.
Là encore, **cette critique mérite d'être nuancée**. D'une part, la jurisprudence administrative démontre que si le droit administratif est inégalitaire, c'est au bénéfice des administrés, le juge administratif tentant de « gommer » l'infériorité de ces derniers dans leur relation à l'administration. D'autre part, on constate que, dans tous les pays dotés d'une unité de juridiction, où l'administration est en principe traitée comme un justiciable normal, des contentieux administratifs et des juridictions ou quasi-juridictions administratives s'y sont développés. Cette évolution semble démontrer la nécessité de faire une place à part à l'administration en raison de ses caractéristiques essentielles (pouvoir d'action unilatérale, poursuite de l'intérêt général).

Reste alors **une critique majeure : les juges administratifs ne seraient pas indépendants**. En effet, il s'agit de fonctionnaires, recrutés normalement par la voie de l'École nationale d'administration (ENA), et non pas des magistrats formés par l'École nationale de la magistrature (ENM), comme les magistrats judiciaires. La pratique de la mobilité perpétue d'ailleurs ce lien étroit avec l'administration active.
Il s'agit d'une **critique particulièrement sévère pour plusieurs raisons**. D'abord l'indépendance des juges administratifs a valeur constitutionnelle (Conseil constitutionnel, 22 juillet 1980, décision *Validation d'actes administratifs*) et le prestige du Conseil d'État le protège relativement bien de toute velléité d'intrusion. Quant aux membres des tribunaux administratifs et des cours administratives d'appel, leur statut leur garantit l'inamovibilité, c'est-à-dire qu'ils ne peuvent être déplacés, même pour avancement, sans leur consentement. En outre, ce n'est pas nécessairement mauvais que les magistrats qui jugent l'administration la connaissent : c'est ainsi qu'historiquement, le Conseil d'État a réussi à construire le droit administratif français. Mais ceci implique, évidemment, que les magistrats administratifs soient, dans leur pratique quotidienne, irréprochables.

Dans quels cas s'adresser au juge administratif ?

▶▶ Les cas sont nombreux, mais **de manière générale, un administré peut s'adresser au juge administratif pour tout conflit l'opposant à une personne publique** (État, collectivité territoriale, établissement public) ou, dans certains cas, à un organisme privé chargé d'un service public.
La réclamation adressée par l'administré au juge est appelée un recours contentieux.

Les raisons pouvant conduire à une telle saisine sont assez variées. Il peut s'agir :
– d'obtenir l'annulation totale ou partielle d'une décision administrative, comme le refus d'une bourse de l'enseignement supérieur ou une mesure de police (ex : arrêté municipal interdisant la circulation dans une rue pour des questions d'ordre public) ;
– d'engager la responsabilité de la personne publique en raison d'un dommage subi par l'administré qui sollicite alors une indemnisation (ex : responsabilité hospitalière à la suite d'une faute dans le traitement d'un patient, dommages liés à des travaux publics) ;
– de régler un contentieux fiscal, la contestation des impôts directs (impôt sur le revenu, impôt sur les sociétés, taxe d'habitation, taxe foncière, taxe professionnelle) et de la taxe sur la valeur ajoutée relevant du juge administratif ;
– de contester la régularité des élections municipales, cantonales, régionales ou européennes.

▶▶ **Par ailleurs, il est possible de saisir le juge administratif en cas d'urgence.** La loi du 30 juin 2000 a sensiblement renforcé les pouvoirs et les moyens du juge dit des référés. Ce juge de l'urgence peut notamment ordonner une mesure d'instruction (ex : un constat de dégâts causés par la faute d'une personne publique).
Mais il peut aussi prononcer le sursis à exécution d'une décision administrative. En principe, les décisions administratives peuvent être mises en œuvre même si elles font l'objet d'un recours « classique » devant un tribunal. Mais si le juge considère qu'elles auraient des conséquences trop graves, il peut suspendre leur exécution pendant un certain temps.

Les quatre types de contentieux administratif

La mission du juge administratif est, globalement, de contrôler et, éventuellement, de sanctionner l'administration. Les recours, qui peuvent être exercés devant lui, se répartissent entre quatre catégories selon une classification établie par Édouard Laferrière (1841-1901), vice-président du Conseil d'État de 1886 à 1898, dans son *Traité de la juridiction administrative et des recours contentieux* (1887, réédité en 1989). Cette classification est encore utilisée en dépit des critiques et des nouveaux schémas proposés, comme celui du juriste René Chapus qui différencie les contentieux de recours contre une décision et le contentieux des poursuites dirigé contre une personne.

Le contentieux de l'excès de pouvoir

Le recours pour excès de pouvoir est la plus connue des actions qui peuvent être engagées devant la juridiction administrative. Il s'agit d'un recours par lequel le requérant (demandeur) demande au juge de contrôler la légalité d'une décision administrative et d'en prononcer l'annulation s'il y a lieu.

Aucun texte ne l'a expressément prévu. C'est le Conseil d'État qui a progressivement construit cet élément essentiel du contrôle de l'administration. Il en a fait un principe général du droit par son arrêt *Dame Lamotte* du 17 février 1950.

Sa première caractéristique est d'être **un recours facile d'accès**. En effet, la juridiction peut être saisie par une simple lettre, qui doit seulement indiquer les nom et prénom du requérant, ses coordonnées, la décision dont il entend obtenir l'annulation et les raisons qui justifient son recours. Le juge administratif est très libéral dans l'acceptation de ce recours. Il faut préciser en outre que le recours pour excès de pouvoir est dispensé du ministère d'avocat : le requérant peut agir seul.

Dans le cadre de ce recours, un justiciable peut invoquer **quatre types de moyens (arguments juridiques).** Deux catégories de moyens relèvent de ce que l'on appelle la légalité externe de la décision : il s'agit de l'incompétence (l'auteur de la décision n'avait pas compétence pour la prendre) et du vice de forme ou de procédure (une formalité importante a été omise ou la procédure n'a pas été suivie). Les deux autres catégories relèvent de la légalité interne de la décision : il s'agit de la violation de la loi (l'administration, sous différentes formes, a pu ne pas respecter le texte de loi applicable) et du détournement de pouvoir ou de procédure (l'administration a utilisé un pouvoir ou une procédure dont elle ne disposait pas pour prendre la décision contestée).

Si, après avoir exercé son contrôle, le juge administratif décide, dans le cadre du recours pour excès de pouvoir, d'annuler la décision administrative litigieuse, cette **décision disparaît rétroactivement de l'ordre juridique**. Tout doit se passer comme si cet acte administratif n'avait jamais existé et ses effets produits antérieurement au jugement sont annulés. Cette règle est parfois source de difficultés pour l'administration. Ainsi, lorsqu'une décision défavorable à un fonctionnaire (refus d'une promotion, révocation...) est annulée par le juge de l'excès de pouvoir, l'administration doit reconstituer la carrière du fonctionnaire, c'est-à-dire reconstruire sa carrière sans l'impact de la décision illégale.

Le contentieux de pleine juridiction (ou de plein contentieux)

Cette formulation un peu étrange – « pleine juridiction » ou « plein contentieux ») – s'explique tout simplement parce que, pour ce type de recours, **le juge dispose des pouvoirs les plus étendus.**

Le contentieux de pleine juridiction se distingue clairement de l'excès de pouvoir. Le juge ne doit pas seulement se limiter, comme dans le cadre du recours pour excès de pouvoir, à annuler ou à valider un acte administratif. Il peut aussi réformer l'acte administratif (le modifier), voire lui en substituer un nouveau. Tel est par exemple le cas dans le contentieux électoral : le juge administratif, s'il constate de graves irrégularités ayant pu modifier les résultats du scrutin, peut déclarer vainqueur celui qui avait initialement perdu. Le juge du plein contentieux peut condamner l'administration à des dommages et intérêts (ex : le contentieux de la responsabilité hospitalière). Il faut toutefois noter que, ces dernières années, les deux types de contentieux ont eu tendance à se rapprocher, à mesure que les prérogatives du juge de l'excès de pouvoir augmentaient, notamment en ce qui concerne les conséquences d'une annulation (ex : modulation des effets dans le temps d'une décision juridictionnelle : Conseil d'État, 11 mai 2004, *Association AC !*).

Le contentieux de pleine juridiction **recouvre des domaines d'une très grande variété** : contentieux contractuel, contentieux de la responsabilité, contentieux fiscal, contentieux électoral...

Le plus souvent, les recours de plein contentieux sont soumis au ministère d'avocat. En conséquence, le juge administratif est plus exigeant que pour l'excès de pouvoir dans l'acceptation des recours.

Le contentieux de l'interprétation et de l'appréciation de légalité

Il s'agit d'un recours en déclaration : le juge administratif indique la portée ou la légalité de la décision administrative attaquée.

On peut exercer ce type de recours à titre principal, même si cela est rare du fait de la faible portée de la décision du juge (pas d'annulation, pas de condamnation, juste un « constat »).

On peut surtout exercer ces recours à titre incident, c'est-à-dire lorsque le juge judiciaire, confronté à une question de la compétence du juge administratif, invite les parties à se présenter devant ce même juge administratif, afin qu'il interprète ou apprécie la légalité d'un acte.

Le contentieux de la répression

Il s'agit pour le juge administratif, agissant comme un juge pénal, de sanctionner des comportements répréhensibles. Il inflige donc des sanctions ou prononce des amendes.

Dans ce cadre, le juge administratif sanctionne principalement les « contraventions de grande voirie ». Ce sont les atteintes portées au domaine public, principalement les voies de communication autres que routières, qui relèvent du juge judiciaire (ex : détérioration d'un passage à niveau).

Quels sont les grands principes du contentieux administratif ?

La procédure devant le juge administratif présente **trois caractéristiques essentielles**.

▶▶ Tout d'abord, comme devant le juge judiciaire, elle est **contradictoire**. Ce principe signifie que chacune des parties a le droit d'être informée des arguments et des pièces présentés par l'autre partie au juge. La contradiction est un droit pour les justiciables et elle s'impose au juge. En aucun cas, ce dernier ne peut fonder sa décision sur un élément dont l'une des parties n'a pas eu connaissance.

▶▶ Elle est ensuite **inquisitoire** : le juge seul dirige l'instruction. Ainsi, c'est lui qui adresse les différents mémoires à toutes les parties au litige. C'est également lui qui peut exiger des parties la production de certaines pièces ou la présentation de certains éléments (ex : demande à l'administration de lui fournir les motifs d'une décision administrative). Le caractère inquisitorial de la procédure est justifié par le déséquilibre important qui existe entre les deux parties (administré/personne publique) dans un procès administratif.

▶▶ Enfin, elle est **écrite**. Les parties ne peuvent en principe présenter leurs conclusions et leurs arguments que sous forme écrite. Ce principe rend la procédure administrative moins souple, mais présente une garantie de sérieux et de sécurité. C'est la raison pour laquelle les avocats plaident très peu devant les juridictions administratives. Néanmoins, ces dernières années, la procédure orale tend à se développer devant le juge administratif, notamment sous l'effet de la croissance des procédures de référé.

Quels sont les pouvoirs du juge administratif ?

Les pouvoirs du juge administratif sont de quatre ordres.

▶▶ **Le juge administratif peut annuler une décision administrative contestée.** Lorsqu'il constate qu'une décision administrative est illégale (parce qu'elle n'a pas respecté une loi, parce que des moyens ont été utilisés à d'autres fins que celles prévues par les textes...), il en prononce l'annulation. Tout se passe alors comme si cette décision n'avait jamais existé et ses effets produits antérieurement au jugement sont également annulés. L'annulation, dans certains cas, peut conduire le juge administratif à ordonner à l'administration de prendre une nouvelle décision dans un sens déterminé.

▶▶ **Le juge administratif peut modifier la décision contestée.** Il ne s'agit plus seulement d'annuler purement et simplement une décision, mais de la modifier de manière à la rendre légale. Le meilleur exemple est celui des élections. Lorsque le juge administratif constate que de très graves irrégularités ont été commises par le candidat élu, il peut, si ces manœuvres ont changé l'issue de l'élection, déclarer élu un autre candidat.

▶▶ **Le juge administratif peut condamner une administration à payer une somme d'argent à titre de dommages et intérêts.** Si le juge constate qu'une administration a causé un préjudice (ex : les services de l'Équipement n'ont pas entretenu une route qui a provoqué des accidents, un service hospitalier a choisi un traitement inadapté à l'état d'un patient), il peut la condamner à indemniser la victime.

▶▶ **Enfin, le juge administratif peut prononcer des mesures d'urgence**. Il s'agit, dans ce cas, du juge des référés, qui peut notamment demander la suspension de l'exécution d'un acte administratif, ordonner une expertise ou enjoindre la communication d'un document.

L'administration face au juge judiciaire

Les activités de l'administration sont en principe jugées par les juridictions administratives. Toutefois, dans un nombre de cas assez important, et pour des motifs variés, le juge judiciaire se transforme en juge de l'administration.
En effet, depuis le XIXe siècle et le développement de la gestion privée des services publics, le champ de compétences du juge administratif s'est restreint au profit du juge judiciaire. De façon générale, on peut dire que le juge judiciaire est compétent pour les activités de l'administration ne présentant pas de caractère administratif (fonctionnement du service public de la justice, gestion privée des services publics). Mais des exceptions à ce principe ont étendu les attributions des tribunaux judiciaires, soit en vertu d'idées générales (état des personnes, liberté individuelle et propriété privée, responsabilité de l'administration), soit

sans logique particulière (ex : fiscalité indirecte, contraventions de voirie) et en vertu d'une loi (ex : décisions de l'Autorité des marchés financiers).

Le fonctionnement du service public de la justice

Il s'agit de l'autre aspect de la séparation des pouvoirs « à la française », soucieuse de garantir l'indépendance de l'administration à l'égard du pouvoir judiciaire, **le juge administratif n'a pas le droit de se mêler du fonctionnement des tribunaux judiciaires.** Par fonctionnement, on entend les jugements eux-mêmes, les actes préparatoires et d'exécution de ces jugements. En revanche, le juge administratif est compétent en ce qui concerne l'organisation de ce service : création et structures des juridictions, statut des magistrats.

Le juge judiciaire, juge des activités de l'administration relevant du droit privé

Le juge judiciaire est compétent à l'égard des **activités de gestion privée de l'administration**.

Ce contrôle s'exerce d'abord **au niveau des actes** pris par une autorité administrative dans le cadre d'une situation juridique de droit privé. Tel est le cas des contrats de droit privé conclus par l'administration (ex : le contrat liant un médecin donnant des consultations libérales dans un hôpital public à son patient est un contrat de droit privé). C'est également le cas des actes pris en matière de gestion du domaine privé des personnes publiques (ex : les forêts domaniales).

La compétence du juge judiciaire s'exerce également sur certains services et particulièrement les **services publics à caractère industriel et commercial**, qui fonctionnent de manière semblable à des entreprises privées. Leur contentieux appartient au juge judiciaire (depuis l'arrêt *Société commerciale de l'Ouest africain* dit du *Bac d'Eloka* du Tribunal des conflits du 22 janvier 1921).

Le juge judiciaire, juge de l'administration en matière de liberté individuelle et de propriété privée

De façon générale, on considère les tribunaux judiciaires comme les protecteurs naturels de ces deux domaines. Ainsi, l'article 66 de la Constitution dispose que : « *Nul ne peut être arbitrairement détenu. L'autorité judiciaire, gardienne de la liberté individuelle, assure le respect de ce principe dans les conditions prévues par la loi.* » Par ailleurs, l'article 136 du Code de procédure pénale prévoit que, dans les cas d'atteinte à la liberté individuelle, le juge judiciaire est exclusivement compétent.

Enfin, le juge judiciaire est également le protecteur de la propriété individuelle dès lors que, dans le cadre de l'expropriation pour cause d'utilité publique, il peut seul fixer l'indemnisation du bien exproprié.

Mais, face aux actes de l'administration portant atteinte à ces domaines, sa compétence n'est pas générale et absolue, elle s'exerce dans deux cas définis par la jurisprudence : **la voie de fait et l'emprise**.

On parle de voie de fait lorsque l'administration a porté une atteinte grave à une liberté fondamentale ou au droit de propriété, soit par une décision manifestement insusceptible de se rattacher à un pouvoir appartenant à l'administration, soit par l'exécution irrégulière d'un acte. Le juge judiciaire est alors compétent pour constater l'existence de la voie de fait, la faire cesser et fixer des indemnités.

L'emprise concerne seulement la propriété. Elle désigne la situation dans laquelle l'administration dépossède un particulier de sa propriété privée immobilière. Mais le juge judiciaire n'est compétent que dans le cas où cette emprise est irrégulière (exercée sans titre juridique). C'est alors lui qui détermine les indemnités pour les préjudices nés de la dépossession. Dans le cas où l'emprise est régulière, c'est le juge administratif qui est compétent.

Le juge judiciaire, juge de l'administration dans des situations diverses

Il existe de très nombreuses hypothèses dans lesquelles la loi a rendu le juge judiciaire compétent, alors même que la compétence des juridictions administratives aurait paru beaucoup plus naturelle.

Ainsi, concernant **l'état des personnes**, le juge judiciaire est compétent pour les litiges relatifs à l'état civil, au changement de nom, à la filiation, à la nationalité des personnes physiques (sauf pour la légalité des décisions administratives concernant l'intégration ou l'exclusion de la nationalité française).

Tel est également le cas **en matière de responsabilité de l'administration** quand elle s'exerce dans des conditions de droit commun. Sans prétendre à l'exhaustivité, on peut citer :

– la responsabilité du fait des instituteurs, lorsqu'un dommage est causé ou subi par un élève de l'enseignement public à la suite d'un défaut de surveillance de l'enseignant (loi du 5 avril 1937) ;

– la responsabilité civile de l'État dans le domaine de l'énergie nucléaire (loi du 30 octobre 1968 modifiée par les lois du 16 juin 1990 et du 13 juin 2006) ;

– la responsabilité civile de l'État pour les dommages causés par les attroupements et les rassemblements de personnes ou d'émeutes (article L. 2216-3 du Code général des collectivités territoriales) ;

– la responsabilité pour l'indemnisation des dommages causés par les actes de terrorisme (loi du 9 septembre 1986) ;

– la responsabilité des préjudices résultant de la transfusion sanguine, notamment pour l'indemnisation des personnes atteintes d'un SIDA post-transfusionnel (loi du 31 décembre 1991).

Cette compétence judiciaire concerne enfin des **domaines variés, ne répondant à aucune logique particulière**. On peut citer, entre autres :

– le contentieux fiscal pour les contributions indirectes, à l'exception toutefois de la taxe sur la valeur ajoutée qui relève du juge administratif ;

– le contentieux des décisions prises par le Conseil de la concurrence (loi du 6 juillet 1987) ;

– le contentieux des contraventions de voirie, c'est-à-dire des atteintes portées au domaine public routier ;

– le contentieux pour les décisions de l'Autorité des marchés financiers (loi du 1er août 2003) ;

– le contentieux des décisions de l'Autorité de régulation des communications électroniques et des postes (lois du 26 juillet 1996 et du 20 mai 2005) ;

– le contentieux de la Commission de régulation de l'énergie (loi du 10 février 2000).

À quelle juridiction administrative doit-on s'adresser en premier lieu ?

▶▶ Dans la majorité des cas, **la première demande** (requête « en premier ressort » ou en « première instance ») doit être adressée **au tribunal administratif (TA)**. C'est la juridiction administrative de première instance de droit commun. Créés par le décret-loi du 30 septembre 1953, ils sont au nombre de 38. Ils sont interdépartementaux, leur ressort (zone géographique d'attribution) étant souvent fort étendu. En appel, les requérants doivent en principe saisir les cours administratives d'appel (au nombre de 8), instituées par la loi du 31 décembre 1987. En dernier lieu, l'arrêt de la cour administrative d'appel peut être contesté par un pourvoi en cassation devant le Conseil d'État.

▶▶ **Cependant, pour les affaires d'importance majeure, le Conseil d'État juge en premier et dernier ressort**. C'est le cas pour les décrets du président de la République ou du Premier ministre, afin que le contentieux soit vidé rapidement. C'est aussi le cas pour les actes réglementaires d'un ministre, les décisions d'un organisme collégial à compétence nationale (ex : jury national de concours), un acte dont le champ d'application excède le ressort d'un seul TA, les élections européennes et régionales et les litiges nés à l'étranger.

▶▶ **Par ailleurs, il existe des juridictions administratives spécialisées** jugeant en premier ressort et en appel dans des domaines spécifiques (financier, technique, social ou professionnel). Il en est ainsi de la Cour des comptes, des Chambres régionales des comptes et de la Cour de discipline budgétaire et financière dans le domaine financier. De même, les ordres professionnels (médecins, pharmaciens...) disposent de leurs propres juridictions pour assurer la discipline au sein de la profession. Ces affaires parviennent donc devant le Conseil d'État seulement en cassation.

De quels recours dispose-t-on pour contester une action de l'administration ?

Pour contester une décision de l'administration, un administré dispose de plusieurs types de recours :

– D'abord le **recours administratif** : ce n'est pas un mode de contrôle juridictionnel au sens strict, car il ne s'exerce pas devant le juge. Il s'agit d'éviter un procès. L'administré mécontent d'une décision prise à son encontre par l'administration lui adresse une réclamation afin qu'elle reconsidère sa position. Ce recours peut prendre deux formes : le **recours gracieux** par lequel l'administré s'adresse à l'auteur même de la décision, le **recours hiérarchique** par lequel il se tourne vers le supérieur hiérarchique de l'auteur de l'acte.
Le recours administratif proroge le délai de recours contentieux (devant le juge), qui ne court pas tant que l'administration n'a pas, expressément ou implicitement, rejeté le recours administratif. Mais cette prorogation du délai ne vaut que pour un seul recours administratif.
Enfin, dans ce cas, l'administration peut retirer son acte pour des motifs de droit ou d'opportunité (ex : la situation sociale de l'administré concerné).

– Le **recours contentieux** : l'administré se tourne alors vers le juge administratif soit après l'échec d'un recours administratif, soit directement. Ce recours n'est possible que pour un temps limité – en principe deux mois à compter de la publication ou de la notification de l'acte administratif contesté – dans un souci de sécurité juridique. Il peut prendre plusieurs formes : excès de pouvoir, pleine juridiction, interprétation et appréciation de la légalité, répression. Il s'ouvre par une requête qui ne suspend pas l'exécution des décisions administratives en cause, à la différence de la procédure d'urgence du référé-suspension.
Contrairement au recours administratif, seuls des motifs de droit peuvent conduire le juge administratif à annuler l'acte contesté et/ou indemniser l'administré des préjudices que cet acte lui a causés.

Le Conseil d'État : conseiller et juge

Le Conseil d'État, institution essentielle dans le fonctionnement de l'administration française, est également une institution hybride. En effet, il assume à la fois des fonctions consultatives et des attributions contentieuses.

Les fonctions consultatives du Conseil d'État

Le Conseil d'État est le **conseiller du gouvernement**. Il est chargé d'examiner des projets de textes avant leur présentation en Conseil des ministres et peut être consulté sur toute question par le gouvernement. Si ses missions consultatives sont moins connues que son activité juridictionnelle, elles n'en revêtent pas moins une importance capitale. Ce sont près de mille projets de lois, d'ordonnances ou de décrets réglementaires et plusieurs centaines de projets de décisions non réglementaires que le Conseil d'État examine chaque année.

La **consultation du Conseil d'État** sur un texte est, selon les cas, **obligatoire ou facultative**. La consultation est obligatoire pour plusieurs textes :

– tous les projets de lois : l'article 39 de la Constitution prévoit qu'ils « *sont délibérés en Conseil des ministres après avis du Conseil d'État* » ;

– les projets d'ordonnances, pris sur habilitation du Parlement, comportant des dispositions relevant normalement du domaine législatif : l'article 38 alinéa 2 de la Constitution exige la consultation du Conseil d'État ;

– les modifications par décret, pris après avis du Conseil d'État, des textes de forme législative intervenus avant la Constitution de 1958, alors qu'aujourd'hui ils relèveraient du domaine réglementaire (art. 37-2 de la Constitution) ;

– les projets de décrets et toutes les questions pour lesquelles son intervention est prévue par des dispositions législatives ou réglementaires selon l'ordonnance du 31 juillet 1945 relative au Conseil d'État ;

– depuis la révision constitutionnelle du 25 juin 1992, les projets d'actes communautaires transmis par la Commission européenne au gouvernement afin qu'il indique s'ils comportent des dispositions relevant du domaine de la loi (art. 88-4 de la Constitution).

Mais le gouvernement peut aussi demander l'avis du Conseil d'État – cette fois facultativement – alors qu'aucun texte ne l'impose, parce qu'il souhaite être éclairé sur la régularité juridique d'un projet de texte.

Lorsque le Conseil d'État est saisi d'une demande d'avis obligatoire ou facultatif sur un texte, **la procédure suivie est toujours la même**. Il examine la forme (bonne rédaction des textes), la légalité (respect des règles de compétence, de procédure et, sur le fond, respect des textes hiérarchiquement supérieurs) et l'opportunité autre que politique (bilan des avantages et des inconvénients) des textes. Pour les textes législatifs, le Secrétaire général du Gouvernement saisit le Conseil d'État. Cette tâche revient aux ministres pour les textes de nature administrative. Le projet de texte est attribué à l'une des quatre sections administratives du Conseil d'État (sections de l'Intérieur, des Finances, des Travaux publics, sociale), puis confié à un rapporteur. Ce dernier prend connaissance du projet, de son contexte juridique (antécédents législatifs ou réglementaires, jurisprudence...) et des finalités qu'il poursuit. Si, après discussion, la section rejette l'ensemble du texte, une note est rédigée par le rapporteur pour expliquer au gouvernement les raisons de cette décision. Certains textes sont soumis à l'approbation de l'Assemblée générale du Conseil d'État, après avoir été adoptés par une section, en raison soit de leur importance, soit de leur nature.

Le gouvernement n'est pas tenu de suivre les avis du Conseil d'État, mais il le fait le plus souvent. Par ailleurs, les avis sont rendus publics sauf si le gouvernement s'y oppose.

Le Conseil d'État peut également être consulté par le Premier ministre ou les ministres non pas sur des textes, mais sur **les difficultés qu'ils rencontrent en matière administrative**. Ces demandes d'avis concernent parfois des questions très vivement débattues (par exemple, en novembre 1989, sur le port de signes d'appartenance religieuse à l'école, affaire dite du « foulard islamique »).

Enfin, le Conseil d'État rend des **rapports sur des questions particulières** et peut attirer l'attention du gouvernement sur des réformes qui lui paraissent aller dans le sens de l'intérêt général.

Les fonctions contentieuses du Conseil d'État

Le Conseil d'État est le **juge suprême de l'administration**. Cette qualité prend plusieurs formes.

Tout d'abord, le Conseil d'État a conservé des **compétences de juge de premier et dernier ressort**. En effet, cette qualité de juge en premier ressort est normalement celle des tribunaux administratifs, créés en 1953. Toutefois, le Conseil d'État est compétent pour les recours qui ne relèvent d'aucun tribunal administratif précisément déterminé (ex : litiges relevant de ressorts territoriaux de plusieurs tribunaux administratifs). En matière électorale, relèvent du Conseil d'État les contentieux relatifs aux élections des députés européens, des conseillers régionaux et des conseillers des assemblées de certaines collectivités dotés d'un statut particulier ou collectivités d'outre-mer (ex : Corse, Polynésie française, Wallis-et-Futuna). Surtout, la compétence directe du Conseil d'État concerne les recours pour excès de pouvoir dirigés contre les actes administratifs les plus importants (notamment décrets, ordonnances, actes réglementaires des ministres).

À l'heure actuelle, le Conseil d'État dispose encore de **compétences résiduelles d'appel**, malgré la réforme du 31 décembre 1987 créant les cours administratives d'appel. Il s'agit, d'une part, de l'appel contre les jugements des tribunaux administratifs en matière d'élections municipales et cantonales, afin que le contentieux ne dure pas trop longtemps. Il s'agit, d'autre part, de l'appel en matière d'appréciation de légalité.

Aujourd'hui, le rôle essentiel du Conseil d'État est celui de **juge de cassation**. Dans ce cadre, il n'appartient pas au Conseil d'État de revenir sur les faits de l'espèce. Il doit seulement se prononcer sur la bonne application du droit.

Enfin, depuis 1987, le Conseil d'État assume une **compétence** souvent qualifiée de « **quasi-juridictionnelle** ». En effet, la loi du 31 décembre 1987 lui a permis de se prononcer, par un avis, sur des demandes, que lui adressent les tribunaux administratifs ou les cours administratives d'appel, relatives à des questions de droit nouvelles présentant une difficulté sérieuse susceptible de se poser dans de nombreux litiges. Ceci permet un règlement plus rapide de certains contentieux.

Quel est le rôle du juge des référés ?

Le juge des référés est le juge administratif de l'urgence. Il ne juge pas du principal (ex : ne prononce pas l'annulation d'une décision) mais permet d'obtenir des mesures provisoires et rapides, destinées à sauvegarder les droits et libertés des administrés. Il se prononce par ordonnances.
Le juge administratif a longtemps été critiqué pour son incapacité supposée à gérer l'urgence. Il existait certes un grand nombre de procédures de référés, mais elles étaient éparses et d'une efficacité limitée.

La loi du 30 juin 2000 sur le référé devant les juridictions administratives a réformé ces procédures et a **renforcé les pouvoirs du « juge des référés »**. Désormais, on distingue trois grands types de référés :
– les référés d'urgence (référé-suspension, référé-liberté, référé conservatoire);
– les référés dits « ordinaires » (référé constat, référé instruction, référé provision);
– divers autres référés relatifs à des domaines spécifiques (ex : référé fiscal) ou à des régimes spéciaux (ex : suspension sur déféré préfectoral pour les actes des collectivités territoriales).

De plus, le juge des référés peut suspendre l'exécution d'une décision administrative (**référé-suspension**) si **deux conditions** sont réunies :
– l'urgence, que le juge apprécie librement;
– l'existence d'un doute sérieux sur la légalité de l'acte en cause.

Le juge des référés est, au sein de chaque tribunal, un juge qui statue seul. Il peut s'agir du président du tribunal administratif, d'une cour administrative d'appel ou d'un magistrat expérimenté (au minimum deux ans d'ancienneté et grade de premier conseiller) qu'il désigne. Dès qu'il est saisi d'une requête en urgence, il fixe la date de l'audience. Le délai peut varier, en fonction du degré d'urgence, de quelques heures à quelques jours. Dès la fin de l'audience, ou un peu plus tard s'il l'estime nécessaire, le juge annonce le sens de sa décision. Il ne peut prendre que des mesures provisoires.
Un progrès notable a ainsi été réalisé au profit des justiciables.

Les différents référés

Depuis la loi du 30 juin 2000, relative au référé devant les juridictions administratives, entrée en vigueur le 1er janvier 2001, le traitement de l'urgence devant le juge administratif a été profondément modifié.

En effet, ce texte a créé de nouveaux référés (ex : référé-liberté), en a réformé d'autres (ex : le référé-suspension a remplacé l'ancien sursis à exécution, le référé conservatoire) et a maintenu un nombre important de référés spéciaux qui existaient avant la réforme (ex : référé fiscal).

On peut distinguer les référés liés à l'urgence (suspension, liberté, conservatoire), au centre de la réforme de juin 2000, et ceux exemptés de la condition d'urgence.

Le référé-suspension

L'article L. 521-1 du Code de justice administrative établit que le juge des référés peut ordonner la suspension de l'exécution de toute décision administrative « *lorsque l'urgence le justifie et qu'il est fait état d'un moyen propre à créer, en l'état de l'instruction, un doute sérieux quant à la légalité de cette décision* ».

Cette procédure remplace l'ancien sursis à exécution et la procédure de suspension provisoire pour trois mois au plus créée par la loi du 8 février 1995, qui l'un comme l'autre avaient débouché sur des résultats très décevants.

Les conditions de recours à cette procédure sont allégées par rapport au sursis à exécution. Ainsi, à l'exigence de conséquences difficilement réparables, qui excluait l'acte n'entraînant qu'un préjudice financier, est substituée la **condition de l'urgence**, traditionnelle en matière de référé. De même, l'ancienne exigence de l'existence d'un « moyen sérieux », qui impliquait la quasi-certitude de l'illégalité de l'acte litigieux, est remplacée par la recherche d'un **« doute sérieux » sur la légalité de l'acte attaqué**.

Si les conditions sont réunies, le juge peut suspendre les effets de la décision administrative contestée jusqu'à ce que la juridiction se prononce au fond. Toutefois, même si les conditions du référé-suspension sont réunies, le juge n'est pas tenu de l'appliquer. Il lui revient toujours d'apprécier souverainement la situation en fonction du contexte.

Les règles de procédure sont aménagées. Le juge indique d'emblée le « calendrier de procédure ». Cette dernière, écrite ou orale, est organisée selon l'appréciation du juge des référés, et peut s'accompagner d'une audience publique. Dans ce dernier cas, et compte tenu de l'urgence, il n'y a pas de conclusions du commissaire du gouvernement. Le juge se prononce dans un délai compris entre 48 heures et un mois ou plus en fonction de l'urgence. Il n'y a pas d'appel possible, car les décisions sont rendues en dernier ressort, seulement un recours en cassation devant le Conseil d'État.

Le référé-liberté

Il est également appelé « référé injonction ». Dans ce cas, il s'agit d'améliorer la protection des libertés fondamentales par le juge de l'urgence.

On peut recourir à ce type de référé, lorsqu'en plus de **l'urgence**, on considère qu'une personne morale de droit public ou un organisme de droit privé chargé de la gestion d'un service public porte une **atteinte grave et manifestement illégale à une liberté fondamentale**. Cette procédure a conduit le juge administratif à préciser, au fil des décisions, la notion de liberté fondamentale (ex : liberté de réunion, d'expression, d'aller et venir, libre administration des collectivités territoriales).

Si le juge estime qu'une telle atteinte est bien portée à une liberté fondamentale, il peut ordonner toutes mesures nécessaires à la sauvegarde de la liberté qui a été bafouée.

Comme pour le référé-suspension, la procédure est aménagée. Le juge doit se prononcer dans les 48 heures, avec possibilité d'appel devant le Conseil d'État, qui lui-même statue alors dans ce même délai de 48 heures.

Le référé conservatoire

On l'appelle souvent également le « référé mesures utiles ». Ce n'est pas une totale nouveauté, puisqu'il existait déjà sous différentes formes avant la réforme du 30 juin 2000. Néanmoins, la loi l'a unifié et simplifié.

Cette procédure de référé permet au juge administratif d'ordonner **« toutes mesures utiles » destinées à sauvegarder les droits des parties** avant même que l'administration n'ait pris une décision (ex : communication d'un document nécessaire pour faire valoir ses droits).

Le juge se prononce dans un délai compris entre quelques jours et un mois. Les décisions sont rendues en dernier ressort. Il n'y a donc pas d'appel possible, juste un recours en cassation devant le Conseil d'État.

Les référés pour lesquels la condition d'urgence n'est pas requise

Les référés dits « ordinaires »

Il s'agit :
– du **référé constat** : pour obtenir la désignation d'un expert pour constater rapidement des faits susceptibles d'être la cause d'un litige devant une juridiction ;
– du **référé instruction** : pour ordonner une expertise, ou toute autre mesure d'instruction, même en l'absence de décision administrative (ex : dommages pouvant être causés à un immeuble par des travaux voisins) ;
– du **référé provision** : pour demander une provision, c'est-à-dire une avance, sur une somme due par l'administration.

Les référés spéciaux maintenus par la loi du 30 juin 2000

En effet, il demeure des référés spéciaux que la loi n'a ni modifié, ni fait disparaître. En voici quelques exemples :
– **le référé fiscal** : pour attaquer un refus opposé par l'administration à une demande de sursis (ou différé) lors de la contestation d'une imposition notamment en matière d'impôt sur le revenu, d'impôt sur les sociétés ou de taxe sur la valeur ajoutée ;

– le **référé en matière de communication audiovisuelle** : créé par la loi du 30 septembre 1986, permet au président du CSA d'engager un recours notamment contre des exploitants ne respectant pas leurs obligations ;

– la **suspension des décisions administratives en matière d'urbanisme et de protection de la nature ou de l'environnement** : ainsi, par exemple, la loi du 10 juillet 1976 relative à la protection de la nature a créé un sursis lorsqu'une opération d'envergure est engagée sans être précédée par une étude d'impact. Ce sursis est automatique devant le constat de l'absence d'étude d'impact ou si les éléments prévus par les textes ne sont pas présents dans cette étude ;

– **la suspension sur déféré préfectoral** permet toujours aux autorités préfectorales de contrôler efficacement la légalité des actes des collectivités territoriales.

Les contrôles non juridictionnels

En quoi consiste le contrôle non juridictionnel ?

Il s'agit d'un **contrôle sur l'action administrative qui n'est pas exercé par le juge administratif**. Il peut être interne ou externe.

▶▶ **Le contrôle interne** est nécessaire pour veiller au respect du droit par l'administration et préserver ainsi l'État de droit. L'administration dispose pour cela d'organes pour la conseiller : le Conseil d'État et la Cour des comptes.

Mais, l'élément central du contrôle interne est lié au pouvoir hiérarchique, qui débouche sur le **contrôle hiérarchique**. Ainsi, tout supérieur hiérarchique peut modifier ou annuler les actes de ses subordonnés, parce qu'ils ne sont pas conformes à la légalité ou parce qu'ils ne lui paraissent pas opportuns.

Les corps d'inspection participent également au contrôle interne. Ce sont des organes administratifs, présents dans la plupart des ministères et relevant directement du ministre, chargés du contrôle des services. Certains sont très spécialisés (ex : l'Inspection générale de l'Armée de l'air au sein du ministère de la Défense), d'autres ont une vocation

plus générale (ex : l'Inspection générale des finances qui relève du ministre des Finances).
Le contrôle financier est le dernier aspect de ce contrôle interne. Il est symbolisé par la présence dans chaque ministère d'un fonctionnaire rattaché au ministre du Budget et chargé de s'assurer de la régularité de la dépense : le contrôleur financier, appelé contrôleur budgétaire et comptable ministériel depuis la réforme du contrôle financier (décret du 27 janvier 2005).

▶▶ Le **contrôle externe** peut prendre deux formes :
– **un contrôle politique** exercé par le Parlement sur le pouvoir exécutif (questions, commissions parlementaires, délégations et offices, voire motion de censure);
– **un contrôle administratif** exercé par les autorités administratives indépendantes (ex : Médiateur de la République). On parle de contrôle externe parce que ces autorités sont soustraites à tout pouvoir hiérarchique.

Qui est chargé du contrôle interne ?

Les contrôles internes à l'administration sont de **trois types**.

▶▶ **Le contrôle hiérarchique** découle du principe hiérarchique en vertu duquel un subordonné doit obéir à son supérieur, sauf en cas d'illégalité manifeste de l'ordre donné.
Il peut être déclenché par le supérieur hiérarchique lui-même, ou par un administré mécontent d'une décision administrative et qui aura exercé un recours hiérarchique. Dans ce cadre, le supérieur dispose de trois pouvoirs. Il peut :
– annuler la décision de son subordonné;
– lui ordonner de prendre une décision dans un sens déterminé;
– modifier tout ou partie de la décision.

▶▶ **Les corps d'inspection** sont chargés, pour le compte d'un ministre, de contrôler le bon fonctionnement des services d'un ministère. Il en existe de très **nombreux** (une vingtaine dont notamment l'Inspection générale de l'Éducation nationale, l'Inspection générale des Affaires sociales, l'Inspection générale des Finances). Ils sont généralement constitués soit de jeunes fonctionnaires recrutés à leur sortie d'école (ex : ENA, Ponts et Chaussées), soit de hauts fonctionnaires en fin de carrière et jouissant d'une longue expérience. Néanmoins, ces corps font aussi l'objet de **critiques**. D'une part, ils ont tendance à délaisser le contrôle pur des services administratifs pour lui préférer un rôle de conseil. D'autre part, et surtout, il est difficile d'attendre un contrôle très sévère de la part d'un organe interne à l'administration. En effet, s'il est exercé par des hauts fonctionnaires en fin de carrière, ils ont une bonne connaissance du milieu inspecté mais peuvent se montrer parfois indulgents. Et s'il est exercé par de jeunes fonctionnaires, leur manque d'expérience de terrain peut être un handicap.

Le contrôle financier a été réformé par le décret du 27 janvier 2005, entré en vigueur depuis le 1er janvier 2006, à la suite de la mise en œuvre de la LOLF (loi organique relative aux lois de finances) du 1er août 2001 et de sa logique de responsabilisation des gestionnaires. Il vise à garantir le respect du principe de séparation des ordonnateurs et des comptables et à assurer une vision globale des processus de la dépense et de la situation patrimoniale de chaque ministère. Dans les services centraux de l'Administration d'État, il est désormais effectué par les contrôleurs budgétaires et comptables ministériels, relevant du ministre du Budget et placés auprès des principaux ordonnateurs de l'État. Ils coordonnent les trésoriers-payeurs généraux de région qui sont les autorités chargées du contrôle financier des administrations déconcentrées.

De quels moyens dispose le Parlement pour contrôler l'action de l'administration ?

Le Parlement (l'Assemblée nationale et le Sénat) contrôle l'action de l'autorité exécutive, c'est-à-dire du Premier ministre et des membres de son gouvernement. Pour cela, il dispose de moyens d'information et d'investigation et peut mettre en jeu la responsabilité du gouvernement.

Les **questions des parlementaires** sont l'occasion d'obtenir des informations sur l'action gouvernementale. Elles sont de plusieurs types :
– les questions écrites publiées avec les réponses au *Journal officiel* ;
– les questions orales avec ou sans débat ;
– les questions au gouvernement sur un sujet d'actualité et retransmises à la télévision.
Les questions peuvent être le relais de préoccupations des administrés de la circonscription du parlementaire et ainsi mettre en lumière des cas de « maladministration ».

Le Parlement mène aussi des investigations sur l'action du gouvernement grâce :
– aux commissions d'enquête ;
– aux missions d'information et aux groupes de travail créés par les commissions permanentes. L'action de ces structures est limitée dans le temps et donne lieu à la publication d'un rapport ;
– aux auditions des commissions et délégations parlementaires ;
– aux contrôles sur pièce et sur place sur l'utilisation de l'argent public par les commissions des Finances et des Affaires sociales.

Enfin, **l'Assemblée nationale, seule, peut mettre en jeu la responsabilité du gouvernement,** soit par son vote après l'engagement du gouvernement sur son programme ou une déclaration de politique générale, soit par l'adoption d'une motion de censure. Toutefois, depuis 1958, une seule motion de censure a été adoptée, le 5 avril 1962, contre le gouvernement Pompidou.

Comment le Parlement peut-il contrôler l'administration par les commissions ?

Les commissions (permanentes et d'enquête) permettent au Parlement d'obtenir des informations sur les textes proposés au vote et de contrôler un secteur particulier.

Les commissions permanentes examinent les projets et propositions de lois (art. 43 de la Constitution). Au nombre de six par assemblée, elles sont composées de membres désignés à la proportionnelle des groupes parlementaires. Elles sont chacune compétentes dans un domaine précis (exemple à l'Assemblée nationale, Affaires culturelles, Affaires économiques, Affaires étrangères, Défense, Finances, Lois). Dans le cadre de leur mission législative, elles jouent un **rôle de contrôle non négligeable. En effet, elles sont amenées à recueillir des informations** utiles au contrôle parlementaire. C'est particulièrement le cas de la commission des Finances qui, outre l'examen des projets de lois de finances, doit surveiller l'exécution des budgets votés et contrôler la gestion des entreprises publiques.

▶▶ **Les commissions d'enquête** permettent aux assemblées de recueillir des éléments d'information sur des faits précis, la gestion de services publics (ex : la situation dans les prisons en 2000, les dysfonctionnements de la justice dans l'affaire dite d'Outreau en 2006), d'une entreprise nationale ou d'une question sociale (ex : les conséquences sanitaires et sociales de la canicule en 2004). Les lois des 19 juillet 1977 et 20 juillet 1991 ont amélioré l'organisation et le fonctionnement de ces commissions. La durée de leurs travaux a été portée de 4 à 6 mois. Elles **disposent de pouvoirs importants** : obligation de se rendre à leur convocation, audition sous serment, pouvoirs de contrôle sur pièce et sur place, possibilité de rendre publique leurs auditions. Leur rapport est publié, sauf si l'assemblée concernée s'y oppose. Cependant, les suites données à ces commissions restent politiquement soumises à l'accord du gouvernement et de sa majorité.

Comment les délégations et les offices parlementaires participent-ils au contrôle de l'administration ?

Les délégations et offices parlementaires favorisent le contrôle de l'administration par le Parlement en améliorant son information.

▶▶ **Les délégations parlementaires** sont des organes permanents d'information et de contrôle dépourvus de pouvoir législatif. Instituées par la loi, elles sont généralement propres à chaque assemblée et sont **chargées de suivre l'activité d'un secteur particulier**. Ainsi, chaque assemblée est dotée d'une délégation pour l'Union européenne (loi du 6 juillet 1979), aux droits des femmes et à l'égalité des chances entre les hommes et les femmes (loi du 12 juillet 1999), à l'aménagement et au développement durable du territoire (loi du 25 juin 1999), pour la planification (loi du 29 juillet 1982). La délégation pour les problèmes démographiques (loi du 31 décembre 1979) est commune aux deux assemblées et réunie des députés et des sénateurs.

Les offices parlementaires sont des instances d'évaluation communes aux deux assemblées, chargées d'une **mission d'expertise et d'information**. Ils sont composés du même nombre de députés et de sénateurs. Ils sont également créés par la loi.
On compte aujourd'hui trois offices parlementaires :
– l'Office d'évaluation des choix scientifiques et technologiques (loi 8 juillet 1983) : la qualité de son travail est reconnue par tous les observateurs. On peut s'étonner du faible nombre de saisines dont il a fait l'objet, alors qu'il constitue une source d'information dans nombre de dossiers (ex : ces dernières années, il s'est penché sur les OGM);
– l'Office d'évaluation de la législation (loi du 14 juin 1996) : une autre loi du même jour avait créé l'Office d'évaluation des politiques publiques qui a été supprimé par la loi de finances pour 2001;
– l'Office d'évaluation des politiques de santé (loi du 20 décembre 2002).
Il y a là une volonté de contrôle plus affirmée, les choix gouvernementaux étant envisagés sous l'angle de l'évaluation des lois, notamment en termes d'efficacité.

Quel est le rôle de la Cour des comptes ?

La Cour des comptes est une juridiction administrative qui a quatre rôles distincts.

Tout d'abord, **elle est chargée de juger la régularité des comptes établis par les comptables publics** dans les différents services de l'État. Il s'agit d'un contrôle éminemment technique qui vérifie que les règles spécifiques s'imposant aux comptables publics sont bien respectées.
Les comptes des comptables des collectivités territoriales et de leurs établissements publics sont soumis au contrôle

des Chambres régionales des comptes. La Cour des comptes est, dans ce cas, juge d'appel.

▶▶ La seconde mission de la Cour des comptes est de **contrôler le bon emploi et la bonne gestion des fonds publics, y compris dans les organismes non dotés de comptables publics.** Chaque année, la Cour procède à des investigations au cours desquelles les conseillers enquêtent sur pièces et sur place. À l'issue de ces «enquêtes», la Cour des comptes établit un rapport, destiné au ministre concerné, qui pointe les éventuelles défaillances ou gaspillages constatés dans un service.

Cette activité se concrétise aussi par la publication du rapport annuel de la Cour des comptes. Celui-ci est de plus en plus médiatisé, dans la mesure où il n'hésite pas à fustiger le mauvais emploi des deniers publics. Les conclusions de la Cour des comptes sur les dysfonctionnements administratifs dans l'utilisation de l'argent public doivent en principe donner lieu, de la part des pouvoirs publics, à des corrections.

▶▶ La **Cour des comptes est chargée de certifier la régularité, la sincérité et la fidélité des comptes de l'État** depuis la mise en œuvre de la loi organique relative aux lois de finances (LOLF) du 1er août 2001. Elle est chargée de la même mission notamment pour les comptes des organismes nationaux du régime général depuis la loi organique du 2 août 2005.

▶▶ Enfin, la Cour des comptes assiste le Parlement et le gouvernement pour **vérifier la bonne exécution des lois de finances de l'État et des lois de financement de la Sécurité sociale.** Elle établit chaque année un rapport sur l'exécution des lois de finances, transmis au Parlement au mois de juillet. La LOLF a précisé les conditions et renforcé les moyens de cette assistance.

Quelle forme de contrôle assurent les AAI ?

▶▶ **Les autorités administratives indépendantes (AAI) n'exercent pas toutes un contrôle sur l'activité de l'administration**, et certaines d'entre elles seulement en partie (ex : le Conseil supérieur de l'audiovisuel (CSA) sur les télévisions publiques mais aussi privées). Ainsi, on peut citer la Commission nationale de l'informatique et des libertés (CNIL), la Commission nationale du débat public (CNDP), la Commission consultative du secret de la défense nationale (CCSDN) et les deux autorités les plus sollicitées, le Médiateur de la République et la Commission d'accès aux documents administratifs (CADA), animées par la même volonté d'améliorer les relations avec les administrés.

▶▶ Le **contrôle** assuré par les AAI est **multiforme** et varie donc de l'une à l'autre.
Ainsi, certaines AAI sont dotées d'un **pouvoir de sanction**. C'est le cas du CSA qui peut infliger des pénalités pécuniaires, mais aussi interdire d'antenne une station de radio qui aurait gravement méconnu ses obligations. D'autres peuvent formuler **des avis ou des recommandations** pour régler les difficultés. Tel est le cas, par exemple, de la CNIL ou du Médiateur de la République. Certaines disposent d'un **pouvoir réglementaire**, qui leur permet de fixer les règles applicables dans un secteur donné (ex : CSA, CNIL).

▶▶ Au-delà de ces formes de contrôle, les AAI rédigent chaque année un rapport d'activité. Ce dernier a avant tout pour fonction d'**alerter l'opinion publique** sur certains problèmes rencontrés dans leur activité quotidienne. Ainsi, la CNIL a pu insister sur les risques potentiels pour les libertés contenus dans le développement de traitements automatisés de plus en plus performants.

À quoi sert le Médiateur de la République ?

▶▶ Le Médiateur de la République est une autorité administrative indépendante d'un type particulier. Institué par la loi du 3 janvier 1973 sur le modèle d'un organe suédois (l'*Ombudsman*), **le Médiateur a pour mission de venir en aide aux administrés en conflit avec une administration,** en raison des dysfonctionnements de celle-ci.
Il est nommé par décret en Conseil des ministres, pour un mandat de 6 ans non renouvelable, de manière à garantir son indépendance. Pour la même raison, aucune autorité publique ne peut lui adresser d'instruction.
Il ne peut pas être saisi directement par un administré en difficulté avec une administration, mais par l'intermédiaire

d'un parlementaire ou d'un rapprochement auprès d'un délégué du Médiateur. Depuis 1986, il dispose de délégués départementaux afin de développer une médiation de proximité.

▶▶ **Le Médiateur n'a pas de pouvoir de décision. Il dispose de pouvoirs d'instruction** qui lui permettent d'obtenir des explications de l'administration concernée par son investigation. Il peut adresser des recommandations de manière à mettre fin au conflit entre les parties.

Il dispose aussi d'un **pouvoir de suggestion** qui lui permet de faire des propositions de réforme, aux pouvoirs publics, des textes de lois ou réglementaires, lorsqu'une situation conflictuelle découle de l'application d'un texte.

Saisi de plus de 60 000 demandes par an, le Médiateur est surtout connu grâce à la diffusion et à la médiatisation de son rapport annuel, dans lequel il retrace l'activité de l'année en indiquant les dysfonctionnements les plus graves de l'administration.

Qu'est-ce que la CADA ?

▶▶ La **Commission d'accès aux documents administratifs (CADA)** est une autorité administrative indépendante (AAI), créée par la loi du 17 juillet 1978, afin de **renforcer la transparence de l'action administrative.**

▶▶ La **composition de la CADA est une garantie de son indépendance**. Parmi ses **onze membres**, nommés pour une durée de trois ans renouvelable. On compte trois magistrats (un conseiller d'État, un conseiller à la Cour de cassation, un conseiller à la Cour des comptes), trois élus (un député, un sénateur, un membre d'une collectivité territoriale), un professeur des universités et quatre personnalités qualifiées. Le conseiller d'État préside la Commission.

▶▶ La CADA a **quatre fonctions principales** :

– elle peut **aider un administré à obtenir un document administratif qui lui a été refusé**. Elle émet un avis sur le caractère communicable ou non du document et dispose à cet effet de larges pouvoirs d'investigation. Elle doit être obligatoirement saisie avant tout recours devant le juge administratif ;

– elle peut également **conseiller l'administration** qui sollicite un avis sur le caractère communicable ou non de certains documents ou sur les conditions de leur communication ;

– elle peut **proposer** des modifications de textes réglementaires et législatifs, en vue de renforcer la transparence au sein de l'administration ;

– elle joue un **rôle de veille** pour promouvoir la transparence administrative, notamment en dénonçant les comportements de l'administration qui y feraient obstacle dans ses rapports d'activités.

CHAPITRE 8

MODERNISER L'ADMINISTRATION

Pourquoi moderniser l'administration ?

La modernisation de l'administration poursuit plusieurs objectifs.

▶▶ Elle cherche à **améliorer l'organisation et le fonctionnement de l'administration et, ainsi, l'efficacité de l'action administrative et la qualité de la gestion publique**. Il s'agit de répondre aux critiques récurrentes sur l'inefficacité supposée des rouages administratifs, les lenteurs de l'administration et son coût. De ce point de vue, la modernisation de l'administration suit plusieurs pistes : développement de l'évaluation des politiques publiques depuis le décret du 22 janvier 1990 du Premier ministre Michel Rocard, redéfinition du périmètre d'action de l'État (rapport Picq, *L'État en France*, 1994 et, plus récemment, la révision générale des politiques publiques lancée le 10 juillet 2007), réforme budgétaire avec la mise en œuvre de la loi organique relative aux lois de finances (LOLF) depuis le budget 2006, et meilleure gestion des ressources humaines de l'État.
Il s'agit donc d'améliorer les performances de l'administration et de **chercher à économiser les deniers publics**. En effet, la modernisation s'est développée dans un contexte de finances publiques dégradées. Il n'est donc pas étonnant que l'actuel ministre de la Fonction publique soit, dans le même temps, celui du Budget et des Comptes publics, chargé à ce titre de limiter le remplacement des départs à la retraite de fonctionnaires.

▶▶ La modernisation de l'administration a également pour but d'**améliorer les relations entre l'administration et les administrés et, donc, les services rendus aux citoyens.** Cela passe par un meilleur accueil des usagers (Charte Marianne définie par la circulaire du 2 mars 2004), une simplification des formalités et des procédures administratives (ex : guichet unique), le développement de l'administration électronique, le renforcement des droits des citoyens face à l'administration (ex : droit d'accès aux documents administratifs) et une politique de transparence.

Qu'est-ce que la réforme de l'État ?

L'expression réforme de l'État s'impose dans les années 1990 pour désigner **les actions menées afin d'améliorer le fonctionnement de l'administration**. Elle existait déjà dans les années 1930, mais avec un sens différent puisqu'elle pouvait désigner les réformes des institutions.

▸▸ Avec le **rapport** de la mission sur les responsabilités et l'organisation de l'État présidée par **Jean Picq**, *L'État en France. Servir une nation ouverte sur le monde,* **de 1994, on glisse de la réforme administrative à la réforme de l'État**. La notion change de dimension et s'élargit. En effet, la nouvelle expression désigne une politique de réforme de l'administration (réforme administrative) désormais associée à une redéfinition des responsabilités de l'État et de ses missions essentielles. Enfin, depuis les années 2000, l'expression « modernisation de l'État » est employée concurremment à « réforme de l'État ».

▸▸ **La réforme de l'État dispose de structures institutionnelles** : un ministre ou secrétaire d'État depuis 1995 (avant ce sont des ministres ou secrétaires d'État aux réformes administratives) et des structures à vocation interministérielle. Actuellement, les différents services chargés de la réforme de l'État sont regroupés au sein de la Direction générale de la modernisation de l'État (DGME), créée par le décret du 30 décembre 2005. Elle résulte du regroupement de quatre structures : la Délégation à la modernisation de la gestion publique et des structures de l'État (DMGPSE), la Délégation aux usagers et aux simplifications administratives (DUSA), l'Agence pour le développement de l'administration électronique (ADAE) et la Direction de la réforme budgétaire (DRB).

Les grandes étapes de la réforme de l'État

La réforme de l'État est loin d'être une aspiration nouvelle. En effet, les premiers débats à son sujet remontent à l'Ancien Régime. Un bref retour en arrière permet donc de mesurer le poids de ce thème dans le débat public.

Du XIXe siècle aux années 1980

Devant les premières critiques émises, sous **l'Ancien Régime,** au sujet de l'organisation de l'État, la monarchie avait déjà réagi. Elle avait en effet commencé à professionnaliser les agents publics, à opérer un découpage plus précis du territoire et à organiser les services publics de manière plus rationnelle.

La Révolution et l'Empire ont ensuite réorganisé le territoire, en déterminant pour longtemps les unités territoriales de base que sont les communes et les départements, puis en mettant en place les préfets.

À la **fin du XIXe siècle,** la réforme de l'État est particulièrement en vogue. Beaucoup d'observateurs expliquent la défaite française face à l'Allemagne par les manques de l'État français. C'est dans ce contexte qu'est créée l'École libre des sciences politiques par le journaliste Émile Boutmy (1872), qui prépare aux concours administratifs et, ainsi, contribue à former des cadres performants pour l'État.

L'entre-deux-guerres est une période de grande réflexion sur la réforme de l'État. Ainsi, par exemple, Léon Blum publie ses *Lettres sur la réforme gouvernementale* (1917-1918) et un projet de réforme est présenté par le président du Conseil, Gaston Doumergue, en 1934 (décret-loi du 4 avril destiné à réaliser la réforme administrative par la réduction du nombre d'agents de l'État). Le président du Conseil est doté de services propres et le Secrétariat général du Gouvernement est institué.

À la **Libération**, la France transforme son administration : les hauts fonctionnaires reçoivent désormais une formation commune, dispensée par l'École nationale d'administration (ENA), créée par l'ordonnance du 9 octobre 1945. Surtout, un statut général de la fonction publique est établi en 1946. Par ailleurs, et de manière plus générale, sous la IVe République, de nombreux groupes de travail relatifs à la réforme administrative sont créés (notamment sous la pression du mouvement poujadiste).

Les années 1960 et la Ve République gaullienne voient la mise en place des préfets de région (décret 14 mars 1964) et une tentative d'introduction des techniques managériales dans l'administration *via* la rationalisation des choix budgétaires (RCB).

Enfin, **les années 1970** sont particulièrement riches. La loi du 3 janvier 1973 crée le Médiateur de la République, dont le rôle est de combattre la « maladministration ». La loi « Informatique et libertés » du 6 janvier 1978 affirme que les développements de l'informatique ne doivent porter atteinte ni à l'identité humaine, ni aux droits de l'homme, ni à la vie privée et ni aux libertés individuelles ou publiques. Elle institue également la Commission nationale de l'informatique et des libertés (CNIL) pour veiller à leur respect. La loi du 17 juillet 1978 reconnaît, pour sa part, un droit d'accès aux documents administratifs et crée la Commission d'accès aux documents administratifs (CADA). La loi du 11 juillet 1979, enfin, oblige les administrations à motiver tous les actes défavorables ou dérogatoires.

Depuis les années 1980

En 1982 est votée la grande réforme de la **décentralisation**, qui conduit, parallèlement, à un renforcement de la déconcentration.

Le concept de réforme administrative évolue en valorisant notamment les méthodes venues du secteur privé. Ainsi, la **circulaire Rocard** relative au renouveau du service public du 23 février 1989 propose de substituer une logique de responsabilité à une logique de procédure, se prononce en faveur du développement des responsabilités et de l'autonomie des services et pose, enfin, l'exigence d'une évaluation systématique des politiques publiques.

En 1994, le **rapport Picq**, *L'État en France. Servir une nation ouverte sur le monde*, marque une étape importante. Il illustre en effet le glissement de la réforme administrative vers la réforme de l'État, plus large. En effet, l'auteur met l'accent sur la redéfinition des responsabilités de l'État et la nécessité de déterminer ses missions essentielles.

L'**année 1995** voit la création du Comité interministériel à la réforme de l'État (CIRE). Ses travaux sont préparés par le Commissariat à la Réforme de l'État, compétent pour présenter toutes propositions dans les domaines de compétences du CIRE. Ce Commissariat a été remplacé en 1998 par la Délégation interministérielle à la Réforme de l'État (DIRE). Parallèlement, le décret du 2 décembre 1998 a créé la Commission pour les simplifications administratives (COSA), qui succède à la Cosiform (commission pour la simplification des formalités) créée en 1983 et modifiée en 1990, et imposé dans le même temps à tous les ministres d'établir un programme annuel de simplification des procédures administratives. En 2003, les services interministériels chargés de la réforme de l'État ont été réorganisés. Un décret du 21 février 2003 crée auprès du Premier ministre une Délégation à la modernisation de la gestion publique et des structures de l'État (DMGPSE), une Délégation aux usagers et aux simplifications administratives (DUSA) à la place de la COSA, ainsi qu'une Agence pour le développement de l'administration électronique (ADAE). Ces trois structures et la Direction de la réforme budgétaire (DRB) forment, depuis le décret du 30 décembre 2005, la Direction générale de la modernisation de l'État (DGME).

Dans ce rapide panorama, il ne faut pas oublier la **loi organique relative aux lois de finances (LOLF) du 1er août 2001**. Elle constitue un moment crucial de la réforme de l'État. En effet, la LOLF propose un projet concret de modernisation de la gestion publique, fondé sur une exigence ambitieuse de transparence, d'évaluation et de performance des finances publiques.

La **réforme de l'organisation de la fonction publique** est également d'actualité depuis les considérations générales du rapport du Conseil d'État pour l'année 2003, intitulé *Perspectives pour la fonction publique.* Il souligne l'impératif de performance qui s'attache à la gestion des ressources humaines dans le secteur public. Plus récemment, le discours du président de la République, Nicolas Sarkozy, le 19 septembre 2007 à l'IRA de Nantes, a mis en avant plusieurs directions de réforme de la fonction publique : réflexion sur le statut, le mode de recrutement par concours, la rémunération au mérite, la mobilité vers le secteur privé et la réforme du dialogue social.

Enfin, le 10 juillet 2007, le Premier ministre, François Fillon, a lancé **la Révision générale des politiques publiques** (RGPP) qui doit remettre à plat « l'ensemble des missions de l'État pour l'adapter aux besoins des citoyens » au moyen d'audits passant en revue les politiques publiques dans tous les ministères. À l'issue de ce processus, des propositions de réformes seront faites dans le sens d'une réduction des dépenses de l'État et de l'amélioration de l'efficacité des politiques. Un Conseil de la modernisation des politiques publiques, présidé par le président de la République, doit se réunir deux fois (fin 2007 et 1er trimestre 2008) et décider des orientations adoptées.

S'adapter aux attentes des usagers

Comment améliorer l'accueil des usagers ?

L'amélioration de l'accueil des usagers revêt **deux formes essentielles**.

▶▶ **Le développement de guichets uniques** qui permettent de regrouper en un même lieu plusieurs services publics. Les administrés (voire, les entreprises) peuvent alors accomplir en une seule fois les formalités nécessaires à une action ou une demande dans les domaines social, fiscal ou autre...
Les guichets uniques sont nés du constat des nombreuses redondances existant entre les différentes administrations. Ils permettent, en retour, d'envisager la réforme de ces administrations. Tel est par exemple le cas du projet de rapprochement de l'ANPE et de l'UNEDIC (en principe en débat au Parlement début 2008), qui doit rendre le service public de l'emploi plus efficace.

▶▶ **La mise en place d'une « démarche qualité »** dans les services publics, avec l'adoption de la **« Charte Marianne »**. Définie par la circulaire du 2 mars 2004 sur la charte d'accueil des usagers, elle a été généralisée à toutes les administrations de l'État en janvier 2005. L'État entend ainsi assurer, dans l'ensemble de ses administrations centrales

et ses services déconcentrés, la qualité de l'accueil des usagers, aussi bien physiquement au guichet, au téléphone, par courrier postal ou électronique.
Par cette charte, l'État s'engage sur différents points :
– les usagers doivent voir leur accès aux services publics facilité ;
– les usagers doivent être accueillis de façon attentive et courtoise ;
– leurs demandes doivent faire l'objet de réponses claires et dans un délai raisonnable et annoncé ;
– leurs réclamations doivent être effectivement et systématiquement traitées ;
– enfin, les éventuelles propositions d'amélioration du fonctionnement du service présentées par les usagers doivent être dûment répertoriées.

Qu'est-ce que la simplification des formalités et des procédures administratives ?

La simplification des formalités et des procédures administratives consiste en une **série de mesures pragmatiques et concrètes destinées à faciliter les relations entre l'administration et ses usagers**. Ces dispositions concernent des domaines différents et ne répondent pas à un plan stratégique d'ensemble.

Il s'agit d'abord de **supprimer des documents ou procédures** fréquemment exigées auparavant. Ainsi, les fiches d'état civil individuelle et familiale ont été supprimées, ainsi que l'obligation de présenter des justificatifs de domicile dans un grand nombre de procédures (décret du 26 décembre 2000 pour ces deux mesures). De même, la certification conforme à l'original des copies de documents officiels a été largement abandonnée (décret du 1er octobre 2001).

La simplification vise aussi **l'harmonisation des modalités et des délais des procédures administratives**. Ainsi, la loi du 12 avril 2000 sur les droits des citoyens dans leurs relations avec les administrations a généralisé l'accomplissement des démarches par envoi postal ou par un procédé informatique homologué (sauf pour les procédures régies par le Code des marchés publics et celles où la présence de l'administré est expressément requise). Cette loi oblige également l'administration à transmettre elle-même les demandes mal dirigées aux services compétents.

▶▶ La simplification passe aussi par le **développement de l'administration électronique** soutenu par le projet ADELE (2004-2007). Ont ainsi été mises en place des téléprocédures (ex : télédéclaration fiscale) ou la possibilité d'effectuer une déclaration unique de changement d'adresse *via* internet.

▶▶ Enfin, **la simplification des démarches implique celle du langage administratif**. Cette tâche a été confiée au Comité d'orientation pour la simplification du langage administratif (COSLA), créé en 2001 (arrêté du 2 juillet). Il a publié en 2005 un *Petit décodeur* qui rassemble plus de 3000 mots ou expressions du vocabulaire administratif, accompagnés de synonymes accessibles à tout administré.

▶▶ **Plusieurs structures ont été successivement chargées de ces actions** de simplifications : la Commission pour la simplification des formalités (Cosiform, décret 18 décembre 1990), la Commission pour les simplifications administratives (COSA, décret du 2 décembre 1998), la Délégation aux usagers et aux simplifications administratives (DUSA, décret du 21 février 2003) et aujourd'hui la Direction générale de la modernisation de l'État (DGME, décret du 30 décembre 2005)

Comment améliorer la transparence de l'administration ?

La transparence administrative a essentiellement été améliorée par la reconnaissance et l'extension des droits des usagers face à l'administration (liberté d'accès aux documents administratifs) et la création d'autorités administratives indépendantes (CADA, CNIL).

▶▶ **L'administration française a longtemps fonctionné selon le principe du secret**. L'exigence de transparence était pourtant consacrée par l'article 15 de la Déclaration des droits de l'homme et du citoyen du 26 août 1789 qui a valeur constitutionnelle : « *La société a le droit de demander compte à tout agent public de son administration* ».

Mais c'est la **loi du 17 juillet 1978 qui a consacré la liberté d'accès aux documents administratifs** et créé la Commission d'accès aux documents administratifs (CADA), qui aide les administrés à obtenir un document administratif qui leur a été refusé.

▶▶ La transparence administrative s'est développée ces dernières années par **l'harmonisation et l'extension des conditions d'accès aux documents administratifs**. En effet, le régime d'accès à ces documents était complexe car défini par plusieurs textes : la loi du 17 juillet 1978, la loi « Informatique et libertés » du 6 janvier 1978 qui crée la Commission nationale de l'informatique et des libertés (CNIL) et celle sur les archives du 3 janvier 1978. La mise en œuvre de ce droit d'accès était donc difficile.
La **loi du 12 avril 2000** sur les droits des citoyens dans leurs relations avec les administrations (dite « loi DCRA ») a harmonisé les règles d'accès, notamment en étendant les compétences de la CADA au détriment de la CNIL pour les documents issus d'un traitement automatisé des données nominatives, mais aussi pour l'accès aux archives publiques.
L'ordonnance du 6 juin 2005 et le décret d'application du 30 décembre 2005 ont depuis simplifié certaines dispositions et étendu l'application de ces conditions d'accès à de nouveaux types de documents administratifs (ex : dossiers de permis de conduire).

▶▶ La transparence administrative s'est aussi améliorée par le **développement de l'accès aux règles de droit et à l'information administrative**. En effet, la loi du 12 avril 2000 a également établi que les autorités administratives étaient tenues d'organiser un accès simple à ces règles. Leur mise à disposition constitue une mission de service public.

▶▶ Enfin, la **levée de l'anonymat des agents publics** a été assurée d'abord pour les services de l'État (décret 28 novembre 1983), puis étendu aux collectivités territoriales, aux établissements publics administratifs et aux organismes de Sécurité sociale (loi DCRA). Désormais, lorsqu'un administré présente une demande, il doit connaître les agents chargés de traiter son dossier. Le fonctionnaire concerné doit décliner son identité à la demande de l'administré ou l'indiquer sur le courrier adressé à ce dernier.

Les usagers peuvent-ils participer à la vie de l'administration ?

▶▶ **Les usagers peuvent participer de différentes manières à la vie de l'administration**.

D'abord, certaines procédures prévoient expressément la participation de l'administré. C'est le cas de la procédure d'**enquête publique**, préalable à une expropriation pour cause d'utilité publique. Un enquêteur doit alors recueillir, après présentation du projet en cause, l'avis des administrés concernés et les consigner dans un document écrit. Les usagers peuvent faire connaître à cette occasion leur opposition au projet.

Le procédé est quasiment identique dans le cas de la **Commission nationale du débat public**, à ceci près que ce sont alors les associations d'usagers (par exemple dans le domaine de la défense de l'environnement) qui doivent se prononcer sur les grands projets d'infrastructures.

Par ailleurs, les usagers peuvent être associés au fonctionnement de l'administration d'autres manières. Ainsi, les **associations de patients** assistent aux conseils d'administration des hôpitaux.

▶▶ Néanmoins, il convient de **nuancer les bienfaits de cette participation accrue des usagers**. D'une part, cette participation est essentiellement le fait des administrés les plus motivés et peut finalement se transformer en *lobbying* assuré par des militants. D'autre part, la place faite peu à peu aux administrés ne doit pas aboutir à freiner, voire bloquer, l'action des administrations.

Comment la justice administrative peut-elle être plus efficace ?

Du point de vue de l'efficacité, la justice administrative se trouve confrontée à **deux défis majeurs**.

▶▶ **Le premier est celui de l'exécution de ses décisions juridictionnelles**. De ce point de vue, une réforme majeure est intervenue grâce au vote de la loi du 8 février 1995. En effet, depuis cette date, le juge administratif peut adresser

des injonctions (ordres) à l'administration, ce qu'il s'était toujours refusé. Ainsi, lorsqu'une décision du juge administratif appelle une décision de l'administration dans un sens donné, le juge peut imposer à l'autorité administrative de prendre cette décision. Par ailleurs, la personne qui a gagné son procès peut toujours revenir devant le juge administratif si l'administration ne s'exécute pas.
Cette nouvelle procédure a conduit à une réelle amélioration dans l'exécution des décisions de la justice administrative.

Le second défi est celui du traitement de l'urgence. En effet, la juridiction administrative ne disposait pas, comme le juge judiciaire, d'un véritable juge des référés capable de traiter efficacement les cas les plus urgents. Cet oubli a été réparé avec la loi du 30 juin 2000. Ce texte a doté la juridiction administrative d'un outil très efficace. Plusieurs procédures de référé ont ainsi été créées : le référé-suspension (qui permet de suspendre l'exécution d'une décision administrative), le « référé-liberté » (qui permet de mettre fin à une atteinte grave à une liberté fondamentale) ou encore le référé conservatoire, appelé aussi « référé mesures utiles » (qui permet au juge d'ordonner « toutes mesures utiles » destinées à sauvegarder les droits des parties, comme une expertise ou un constat). De l'avis général, la réforme est un succès.

Améliorer la gestion et les performances de l'administration

Pourquoi réformer le cadre financier de l'administration ?

Le cadre financier de l'administration d'État, auparavant défini par l'ordonnance du 2 janvier 1959, a été réformé par la loi organique relative aux lois de finances (LOLF) du 1er août 2001. Plusieurs raisons ont conduit à cette réforme.

Les **gestionnaires critiquaient le texte de 1959**. Ils le trouvaient très juridique, fixant des règles tatillonnes au prix d'une déresponsabilisation des acteurs, et dont certains concepts n'étaient qu'imparfaitement respectés (ex : l'emploi public). L'ordonnance n'a pas non plus su empêcher la persistance du déficit budgétaire, dont beaucoup estimaient que la résorption passait par de nouvelles méthodes de gestion inspirées d'autres pays.

▶▶ Le **Parlement** voulait pouvoir bénéficier d'une **meilleure information** et exercer un **meilleur contrôle** sur les finances publiques.

▶▶ Enfin, des **modifications profondes sont intervenues dans les finances publiques** :
– la décentralisation, qui augmente le poids financier des collectivités territoriales et complexifie leurs rapports financiers avec l'État ;
– le développement des finances sociales, avec la création des lois de financement de la Sécurité sociale (révision de la Constitution du 22 février 1996) ;
– l'influence de la construction communautaire, notamment dans l'encadrement des politiques budgétaires nationales par le pacte de stabilité et de croissance.

Cette réforme a bénéficié d'un consensus politique exceptionnel. Elle s'est inspirée des travaux de la Cour des comptes et du Parlement sur l'utilisation de l'argent public et la transparence en matière budgétaire. Ceux de l'Organisation de coopération et de développement économiques (OCDE) promouvant une nouvelle gestion publique (ex : budgétisation par la performance, définition d'objectifs pour les politiques publiques) ont également guidé son élaboration. Enfin, les modernisations des procédures budgétaires et des méthodes comptables menées dans de nombreux États depuis les années 1980 l'ont aussi influencé.

Qu'est-ce que la LOLF ?

La LOLF, ou « loi organique relative aux lois de finances », est la **nouvelle constitution financière de la France**. Promulguée le 1er août 2001, elle remplace l'ordonnance du 2 janvier 1959 et constitue un élément important de la réforme de l'État. Elle porte uniquement sur le budget de l'État, et non sur ceux des collectivités territoriales ou de la Sécurité sociale. Elle modifie en profondeur ses règles de gestion en passant d'une logique de moyens à une logique de résultats.

▶▶ Contrairement aux précédents textes organisant les finances publiques, **la LOLF résulte d'une initiative parlementaire**. Elle a été portée par un député de gauche, Didier Migaud, et un sénateur de droite, Alain Lambert, tous deux rapporteurs sur ce texte, qui assument aujourd'hui une mission de suivi de sa mise en œuvre. Le gouvernement n'a déposé aucun amendement (proposition de modification du texte), négociant tout au long de son examen. La réforme a été adoptée à la quasi-unanimité du Parlement. Sa mise en œuvre a été progressive, avec une première application pleine et entière pour le budget 2006.

▶▶ **Les acquis de la LOLF sont intimement liés aux critiques qui étaient adressées à l'ordonnance de 1959**. Elle fait passer l'administration française d'une logique de moyens à une logique de résultats. Le budget de l'État est ainsi organisé par missions (politique publique), subdivisées en programmes puis en actions selon la finalité de la dépense à laquelle on fixe des objectifs, et non plus par ministère.
La LOLF élargit le cadre d'autorisation budgétaire du Parlement (qui peut redéployer des crédits à l'intérieur d'une mission) et valorise sa place dans le contrôle budgétaire. Elle apporte aussi une certaine souplesse dans la gestion des crédits budgétaires et renforce la responsabilité des gestionnaires publics.
Elle améliore la lisibilité des informations budgétaires et consacre le principe de sincérité qui implique la cohérence et l'exactitude des informations fournies par l'État sur ses ressources et ses charges.
Enfin, le vote du budget s'effectue dès le « premier euro » et le vote des « services votés » (dépenses reconduites automatiquement d'une année sur l'autre représentant 90 % des dépenses du budget général de l'État) n'existe plus.

▶▶ **La LOLF a exercé une influence sur les finances sociales et locales**. En effet, l'adoption de la loi organique relative aux lois de financement de la Sécurité sociale (LOLFSS) du 2 août 2005 inscrit les finances sociales dans la même logique que la LOLF. De même, des expérimentations de gestion par les résultats des finances locales ont été lancées dans le but d'une généralisation de l'esprit LOLF.

La réforme du budget de l'État

La loi organique du 1er août 2001 relative aux lois de finances (LOLF) est porteuse de profondes évolutions du cadre régissant les finances publiques de l'État. Elle comporte des avancées dans deux domaines essentiels : l'efficacité de la dépense publique et le renforcement des pouvoirs du Parlement dans la procédure budgétaire.

La recherche d'une plus grande efficacité de la dépense publique et d'une plus grande rigueur de gestion

L'idée essentielle qui a animé les concepteurs de la LOLF a été d'assurer le passage d'un budget de moyens (qui comprenait pas moins de 850 chapitres répartis par ministères) à **un budget d'objectifs et de résultats** (regroupant l'ensemble des crédits budgétaires au sein de 34 missions et de 132 programmes). C'est ce que prévoit l'article 7 de la loi organique : « *Les crédits (...) sont regroupés par mission relevant d'un ou plusieurs services d'un ou plusieurs ministères. Une mission comprend un ensemble de programmes concourant à une politique publique définie* ».

Chacun de ces programmes regroupe des crédits qui sont « *destinés à mettre en œuvre une action ou un ensemble cohérent d'actions relevant d'un même ministère et auquel sont associés des objectifs précis, définis en fonction de finalités d'intérêt général, ainsi que des résultats attendus et faisant l'objet d'une évaluation* ». Cette répartition vise une certaine souplesse : les programmes sont placés sous la responsabilité d'un seul ministre, alors que les missions peuvent revêtir un caractère interministériel.

Plusieurs nouveautés introduites par la loi organique visent à assurer une rigueur accrue dans la gestion des finances publiques de l'État.

Par exemple, il est prévu que le montant des crédits qui peuvent être ouverts par décret d'avance (c'est-à-dire en cas d'urgence), après avis des commissions des Finances de chaque assemblée, ne peut excéder 1 % des crédits ouverts par la loi de finances de l'année. Auparavant il n'existait aucune limite et, sous couvert d'urgence, on ouvrait des crédits aisément sans contrôle du Parlement.

Dans le même esprit, l'annulation de crédits par décret est plus strictement encadrée. Sous le régime de l'ordonnance de 1959, la pratique de l'annulation des crédits, à laquelle n'était posée aucune limite, concernait des sommes importantes et portait atteinte à la sincérité des budgets. L'affichage politique lors du vote de la loi de finances était ensuite remis en cause par les annulations. La LOLF prévoit désormais que le montant des crédits annulés ne peut dépasser 1,5 % des crédits ouverts pour l'année en cours et que les décrets d'annulation doivent être transmis pour information au Parlement.

D'autres éléments concourent à cette rigueur accrue en exigeant une transparence renforcée de la part du pouvoir exécutif.

Ainsi, en vertu de l'article 32 de la LOLF, les lois de finances doivent respecter le principe de sincérité budgétaire. Dans sa décision en date du 25 juillet 2001 relative à la LOLF, le Conseil constitutionnel a précisé que ce principe se caractérisait, par l'absence d'intention de fausser les grandes lignes de l'équilibre déterminé par la loi de finances.

Par ailleurs, le gouvernement doit désormais obligatoirement joindre au projet de loi de finances de l'année des « annexes explicatives », qui comprennent un « projet annuel de performances » pour chaque programme, présentant notamment les actions, les coûts associés, les objectifs poursuivis et les résultats obtenus et attendus à l'avenir mesurés au moyen d'indicateurs précis. De même, un rapport annuel de performances pour chaque programme accompagne le projet de loi de règlement.

Le renforcement des capacités de contrôle du Parlement

Tout d'abord, le « **débat d'orientation budgétaire** », qui existait déjà en pratique depuis 1996, **a été institutionnalisé** par la LOLF. La LOLF prévoit, en effet, que le gouvernement doit présenter au cours du dernier trimestre de la session ordinaire (avril-juin), un rapport sur l'évolution de l'économie nationale et les orientations des finances publiques. Il permet aux parlementaires de percevoir les grandes orientations budgétaires pour l'année à venir. De la même façon, il est prévu qu'à l'ouverture de la session parlementaire (octobre), le gouvernement présente un rapport présentant l'ensemble des prélèvements obligatoires.

Les pouvoirs du Parlement sont également renforcés au cours du débat budgétaire de l'automne. La loi organique accroît la capacité d'amendement des parlementaires. Ils peuvent proposer des amendements modifiant la répartition des crédits entre les différents programmes d'une même mission. Les parlementaires peuvent donc désormais présenter des amendements tendant à augmenter les crédits d'un ou plusieurs programmes, pour peu que ne soient pas alourdis les crédits globaux d'une mission. L'ordonnance de 1959 était beaucoup plus stricte en matière d'amendement.

De plus, les **pouvoirs du Parlement sont également renforcés au niveau du contrôle budgétaire**. Ainsi, les présidents et les rapporteurs des commissions des Finances dans les assemblées peuvent auditionner toute personne qu'ils jugent utile d'entendre, et même la délier du respect du secret professionnel.

Enfin, **la loi organique renforce la place de la loi de règlement au cours du débat budgétaire**. Il est désormais prévu que le projet de loi de règlement soit déposé avant le 1er juin de l'année suivant celle à laquelle elle s'applique et que son examen en première lecture ait lieu avant le vote du projet de loi de finances de l'année suivante. Ainsi, pendant l'année *n*, les parlementaires peuvent contrôler l'exécution de l'année *n-1*, avant d'adopter les crédits pour l'année *n+1*. On appelle cela le « chaînage vertueux ».

Par ailleurs, la LOLF entend associer plus fortement le Parlement français à l'exécution de la loi de finances, puisque son avis ou son information sont nécessaires avant tout décret d'avance ou d'annulation.

Qu'appelle-t-on « gestion par la performance » ?

La gestion par la performance doit permettre à l'administration d'assumer pleinement ses missions de service public grâce à la mise en œuvre d'outils **renforçant l'efficacité de la dépense publique et la qualité de la gestion publique**. Elle n'est pas la simple reprise, par les personnes publiques, de techniques venues du secteur privé. Elle permet le passage d'une logique de moyens à une logique de résultats.

▸▸ La gestion par la performance revêt deux dimensions :
– d''un côté, la recherche d'efficacité, qui doit permettre à une action, une fois engagée, de produire les résultats qui en sont attendus ;
– de l'autre, une recherche d'efficience, c'est-à-dire la capacité de parvenir à ces résultats à un moindre coût pour les finances publiques.

▸▸ Elle est rendue possible par la définition en amont, pour chaque programme, d'une « stratégie de performance ». Celle-ci relève du ministre responsable du programme et doit ensuite être validée par le Parlement. Elle se traduit par la détermination des objectifs stratégiques du programme, qui sont de trois types : les objectifs d'efficacité « socio-économique » de l'action de l'État attendue par le citoyen, de qualité du service rendu à l'usager, d'efficience de la gestion (optimisation des moyens).

▸▸ Elle s'appuie également, pour chaque programme, **sur deux documents** :
– les **projets annuels de performances (PAP)** : annexés au projet de loi de finances initiale, ils présentent les objectifs à atteindre dont la réalisation est mesurée grâce à des indicateurs de performances préalablement définis ;
– les **rapports annuels de performances (RAP)** : annexés au projet de loi de règlement, ils recensent les résultats obtenus et, ainsi, permettent de vérifier que les engagements pris en termes de performance ont été tenus.

Comment évaluer les performances de l'administration ?

Les performances de l'administration sont budgétairement évaluées à l'aide des indicateurs de performances.

En effet, dans le cadre de la LOLF, **chaque programme est doté d'objectifs stratégiques, eux-mêmes associés à des indicateurs de performances** (en moyenne deux) pour évaluer les résultats obtenus. Ces indicateurs sont assortis de « valeur cible » pour l'avenir.

La définition d'indicateurs pertinents est difficile. En effet, tous les objectifs ne sont pas facilement mesurables et certains indicateurs ne permettent pas de porter un jugement sur la performance de l'action publique considérée. Ainsi, comme dans les autres pays occidentaux ayant mis en œuvre une gestion par la performance, la France s'est heurtée à quelques difficultés. Au niveau technique, les premiers indicateurs pour le budget 2006 portaient davantage sur l'activité des services que sur les résultats obtenus. Certains étaient vagues, parfois trop nombreux et non hiérarchisés ou leur qualité se révélait faible. Au niveau politique, il fallait accorder autant d'importance aux plans d'action qu'à la mise en œuvre des outils pour apprécier les résultats.

Surtout, **ces indicateurs de performances peuvent faire l'objet d'une vérification**, qui peut prendre la forme d'un audit. Plusieurs organes peuvent contribuer à leur contrôle : en tout premier lieu, le Comité interministériel d'audit des programmes (CIAP) ou la Cour des comptes. Mais peuvent également les vérifier les parlementaires ou les corps d'inspection ministériels ou interministériels.

Le projet de loi de finances pour l'année 2008 comptait 1 276 indicateurs pour 621 objectifs. D'après les données fournies par le ministère des Finances, 42 % de ces indicateurs portaient sur l'efficacité socio-économique, 23 % mesuraient la qualité du service rendu aux usagers et 35 % avaient trait à l'efficience des actions entreprises, mesurant donc le rapport des moyens affectés aux résultats constatés.

Quel est l'impact de la LOLF sur la gestion des ressources humaines ?

Aucune disposition de la LOLF n'est spécifiquement consacrée à la gestion des ressources humaines dans la fonction publique. Néanmoins, celle-ci évolue sous l'effet du nouveau cadre budgétaire.

▶▶ En effet, **la LOLF a modifié la présentation des dépenses de personnel et des effectifs dans le budget de l'État**. Elle permet de mieux connaître les dépenses de personnel de l'État. Ainsi, les moyens humains affectés à chaque programme se traduisent par la détermination d'un volume de dépenses de personnel (plafond de masse salariale) et la mention de la répartition indicative des emplois au sein du programme, qui peut être modifiée par le gestionnaire. Parallèlement, chaque ministère se voit attribuer un plafond d'emplois rémunérés par l'État qu'il est ensuite libre de répartir en fonction de ses besoins. Les plafonds d'emplois des ministères sont regroupés et votés en une seule fois dans la loi de finances de l'année. C'est ce qu'on appelle « le plafond d'emplois rémunérés par l'État ». Les emplois sont évalués en équivalent temps plein travaillé (ETPT) qui remplace la notion d'emploi budgétaire. Ainsi, un agent à temps plein présent toute l'année consomme un ETPT. Enfin, au sein des programmes, les gestionnaires peuvent utiliser les crédits de personnel pour d'autres dépenses, mais pas l'inverse. C'est la fongibilité asymétrique.

▶▶ La LOLF permet le développement de nouveaux modes de gestion des ressources humaines (GRH). **Les gestionnaires disposent d'une plus grande souplesse de gestion de leur personnel.** Par exemple, ils peuvent recruter, dans le respect des règles statutaires de la fonction publique, selon leurs besoins et non en fonction des corps ou des grades.

La LOLF est aussi l'occasion de déconcentrer la GRH. En effet, la responsabilisation accrue des gestionnaires de programmes implique que le centre de gravité de la GRH se rapproche du niveau local. Cela induit des changements concernant le niveau pertinent du dialogue social, des mutations, des promotions...

Enfin, la logique de résultat qui sous-tend la LOLF conduit à **favoriser le développement des mécanismes de rémunération sanctionnant la performance.**

Qu'en est-il des finances locales ?

Les principes et l'esprit de la LOLF s'étendent progressivement aux finances locales. En effet, les activités prises en charge par les collectivités peuvent, elles-aussi, être dotées d'objectifs et voir leurs performances mesurées.

▶▶ Cependant, **les finances locales n'étaient pas plongées dans un « obscurantisme » budgétaire et comptable**. Elles ont même, pour une part, inspiré la réforme du budget de l'État, notamment dans le domaine de la comptabilité.

En effet, elles disposent de plusieurs **normes budgétaires et comptables** : M14 pour les communes (votée par le Parlement en 1994, mise en œuvre en 1997), M52 pour les départements (appliquée depuis le 1er janvier 2004) et M71 pour les régions (expérimentée depuis le 1er janvier 2005 en vue d'une généralisation au 1er janvier 2008). Ces normes cherchent à améliorer l'information budgétaire en particulier pour la situation patrimoniale des collectivités. Dans les communes de plus de 3500 habitants, les départements et les régions, elles mettent en place une nomenclature fonctionnelle permettant de reclasser les recettes et les dépenses selon les politiques conduites par la collectivité. Enfin, l'ordonnance du 26 août 2005 a renforcé la pluriannualité au sein de ces trois normes.

▶▶ **Il s'agit donc davantage de généraliser l'esprit de la LOLF que de transposer le texte de toutes pièces**. D'ailleurs, les initiateurs de la LOLF, Didier Migaud et Alain Lambert, préconisent une démarche pragmatique et la limitation de cette extension des principes de la LOLF aux communes de plus de 10000 habitants et aux grandes collectivités (soit 1300 à 1400 collectivités, mais 80 % du poids budgétaire global). Des **expérimentations de gestion orientée vers les résultats ont donc été lancées** et des guides pratiques sur la mise en œuvre d'une démarche de type LOLF ont été rédigés (ex : guide des outils de pilotage).

Pourquoi une loi de financement de la Sécurité sociale ?

La loi de financement de la Sécurité sociale (LFSS) cherche à maîtriser les dépenses sociales et de santé, en association avec le Parlement. Elle détermine les conditions nécessaires à l'équilibre financier de la Sécurité sociale et fixe les objectifs de dépenses en fonction des prévisions de recettes.

▸▸ La **LFSS est une nouvelle catégorie de loi créée par la révision constitutionnelle du 22 février 1996**. Elle est votée tous les ans par le Parlement selon une procédure précise (art. 47-1 de la Constitution). Ainsi, le projet de LFSS pour l'année suivante est déposé sur le Bureau de l'Assemblée nationale au plus tard le 15 octobre. Le Parlement dispose d'un délai total de 50 jours (en première lecture, 20 jours pour l'Assemblée nationale et 15 pour le Sénat) pour se prononcer sur le projet, faute de quoi les dispositions peuvent être mises en œuvre par ordonnance. Elle peut être modifiée en cours d'année par une LFSS rectificative.

▸▸ **Le Parlement s'est donc vu reconnaître un droit de regard sur l'équilibre financier de la Sécurité sociale.** Il peut se prononcer sur les grandes orientations des politiques de santé et de sécurité sociale, et sur leur financement.

Cependant, ce contrôle reste limité. La LFSS n'autorise pas la perception de recettes mais ne fait que les prévoir. De même, les objectifs de dépenses, votés par le Parlement, évaluent les dépenses mais ne les limitent pas.

▸▸ **La LOLF a aussi exercé une influence sur les finances sociales,** même si la notion de performance n'était déjà pas étrangère aux administrations sociales. Ainsi, la loi organique du 2 août 2005 réforme les LFSS. Elle modifie leur présentation en la rapprochant de celle des lois de finances, élargit les pouvoirs du Parlement, inscrit les prévisions dans un cadre pluriannuel et introduit une démarche « objectifs-résultats » sur le modèle des lois de finances de l'État.

S'adapter au cadre européen

En quoi le droit communautaire concerne-t-il l'administration ?

Le droit communautaire a une valeur supérieure au droit français. Il est soit directement applicable en France, soit « transposé », c'est-à-dire intégré par une loi ou un règlement français dans notre législation. Il influence donc le fonctionnement de l'administration dans de nombreux domaines, dont on peut rappeler les principaux

▶▶ D'abord, **la fonction publique française s'est ouverte aux ressortissants des autres États membres** de l'Union européenne (UE) (lois du 26 juillet 1991, du 16 décembre 1996 et du 26 juillet 2005). Cependant, ils ne peuvent pas occuper des fonctions participant à l'exercice de la Souveraineté ou des prérogatives de puissance publique. Ce sont désormais 80 % des emplois de la fonction publique de l'État qui sont ainsi ouverts.

▶▶ L'évolution des règles du **contrat de travail** utilisé dans l'administration trouve son origine dans le droit communautaire (directive du 28 juin 1999, transposée par la loi du 26 juillet 2005). Désormais, et contrairement à la tradition administrative française, un « renouvellement » d'un contrat à durée déterminée au-delà de six ans entraîne automatiquement sa transformation en contrat à durée indéterminée. Il s'agit de lutter contre la précarité de l'emploi dans le secteur public.

▶▶ Enfin, le droit communautaire a une influence sensible dans le domaine des **délégations de service public** et des **marchés publics** (règles très précises pour les marchés, beaucoup plus de liberté pour les délégations). Mais, sous l'effet de plusieurs directives (celles du 18 juillet 1989 et du 18 juin 1992), les exigences communautaires ont conduit à un rapprochement, notamment sur deux thèmes sensibles : la publicité, qui doit être assurée à tous ces contrats, et la transparence, qui doit caractériser leur procédure d'adoption.

Par quels moyens l'administration française peut-elle intervenir au niveau européen ?

L'administration dispose de plusieurs moyens pour intervenir au niveau européen.

▶▶ **Au niveau politique**, ses intérêts peuvent être relayés par le ministre délégué ou le secrétaire d'État chargé des affaires européennes. De manière générale, tous les ministres sont amenés à négocier au niveau communautaire. C'est le cas, en tout premier lieu, du ministre de l'Agriculture dans le cadre de la politique agricole commune.

▶▶ **Du point de vue administratif**, deux instances jouent un rôle essentiel :

– le **Secrétariat général des Affaires européennes** (SGAE, nouvelle appellation, depuis le 18 octobre 2005, du Secrétariat général du Comité interministériel pour les questions de coopération économique européenne – SGCI). Il s'agit d'une administration directement rattachée au Premier ministre et dirigée, le plus souvent, par son conseiller aux affaires européennes ou celui du président de la République. Il est organisé en secteurs regroupant chacun plusieurs politiques communautaires. Son rôle consiste à harmoniser les positions des différents ministères sur toutes les matières européennes. C'est le trait d'union entre les sphères politique et administrative ;

– la **Représentation permanente** : c'est une mission diplomatique auprès de l'Union européenne (UE) chargée de défendre les intérêts de la France au sein des institutions de l'UE, et particulièrement du COREPER (Comité des représentants permanents, organe communautaire rassemblant les représentants permanents des États membres). Le représentant permanent a rang d'ambassadeur. La Représentation permanente est en lien constant avec le SGAE.

▶▶ Par ailleurs, **l'administration locale dispose de relais au niveau européen** *via* le Comité des régions, instance de représentation des collectivités territoriales au sein de l'UE, ou les associations de *lobbying* regroupées à Bruxelles dans la « Maison européenne des pouvoirs locaux français ».

Comment l'administration française applique-t-elle le droit communautaire ?

L'administration applique le droit communautaire, selon les cas, **soit immédiatement, soit après transposition** du texte européen dans le droit national.

En effet, **le droit communautaire a une valeur supérieure à celle du droit national**. Une transposition – c'est-à-dire l'adaptation du droit français aux exigences de la législation communautaire – est cependant nécessaire dans le cas des directives et des décisions-cadres européennes. Pour les autres textes européens, la situation est différente : les règlements et les décisions sont directement applicables sans transposition, les recommandations et les avis ne sont pas contraignants.

Pour les transpositions, les directives communautaires ne lient les États membres qu'en ce qui concerne les résultats, mais les laissent libres de choisir les moyens d'y parvenir. L'administration française doit alors déterminer si le droit national est déjà conforme à la directive, et dans la négative, s'il convient de modifier le droit interne par la loi ou le règlement. Le Secrétariat général du Gouvernement et le Secrétariat général aux Affaires européennes centralisent le processus de transposition. Le Conseil d'État joue aussi un rôle essentiel, en distinguant ce qui, dans la directive, relève du domaine de la loi ou du règlement au vu des articles 34 et 37 de la Constitution.

La supériorité du droit communautaire sur le droit national a été confirmée par plusieurs institutions. Ainsi, la Cour de justice des Communautés européennes considérait que le droit communautaire constituait un nouvel ordre juridique et devait s'imposer à celui des États membres (notamment l'arrêt *Simmenthal* du 9 mars 1978). En France, la Cour de cassation a rapidement suivi ce même raisonnement, depuis l'arrêt *Société des Cafés Jacques Vabre* du 24 mai 1975. En revanche, le Conseil d'État a été plus réticent à formuler cette supériorité du droit communautaire. C'est aujourd'hui chose faite depuis son arrêt *Nicolo* du 20 octobre 1989.

Quelles sont les difficultés de l'administration française pour transposer les textes communautaires ?

Les difficultés de l'administration française pour transposer les textes communautaires sont de plusieurs natures.

D'abord, la **multiplicité des textes communautaires** – règlements, directives, décisions, sans compter les livres verts ou livres blancs de la Commission européenne… – ne facilite pas forcément leur suivi.

Les obstacles politiques peuvent parfois accentuer ces difficultés de suivi. En effet, les pouvoirs publics, en désaccord avec une position adoptée par l'Union européenne, peuvent parfois tarder à mettre en œuvre les textes communautaires. Cela a été le cas de la directive « Oiseaux » de 1979, que la France a essayé à plusieurs reprises de concilier avec ses textes nationaux sur la chasse.

Parfois, les **administrations** elles-mêmes ont **des réticences** à prendre en charge la transposition des directives communautaires. Il s'agit en effet d'un travail extrêmement long, parfois fastidieux.

Enfin, la transposition puis l'application du droit communautaire fait intervenir de **multiples acteurs** : gouvernement, administration centrale, services déconcentrés mais aussi les collectivités territoriales. Ce qui ne rend pas la tâche facile.

Comment assurer une meilleure application du droit communautaire ?

Plusieurs solutions ont été mises en œuvre pour lutter contre le déficit de transposition des textes communautaires et ainsi améliorer l'application du droit européen.

L'amélioration de la formation en matière communautaire des fonctionnaires français est la première piste. Ainsi, les sessions de formation aux questions européennes organisées par l'École nationale d'administration (ENA) et les instituts régionaux d'administration (IRA) se sont multipliées. L'ENA a même mis en place, en 1995, le Centre des études européennes de Strasbourg afin de remédier aux insuffisances de formation aux affaires européennes des fonctionnaires, mais aussi des cadres du secteur privé et des élus, notamment locaux.

▶▶ La **désignation dans chaque ministère d'un « correspondant »** chargé de l'application du droit communautaire permet de lutter contre le déficit de transposition des directives enregistré par la France. Ainsi, il lui revient de recenser tous les textes européens en attente et de s'assurer de leur bonne mise en œuvre.

▶▶ Enfin, le **recours aux ordonnances** améliore également les délais de transposition. Il s'agit d'une délégation du pouvoir législatif au gouvernement pour un objet et un délai déterminés (art. 38 de la Constitution). La France a ainsi divisé par deux, entre 2003 et 2006, son déficit de transposition (3,5% en 2003 et 1,9% fin mai 2006). Cependant, elle figure encore parmi les plus mauvais élèves de l'Union.

Les citoyens de l'UE peuvent-ils travailler dans l'administration française ?

Les citoyens des États membres de l'Union européenne (UE) peuvent travailler au sein de l'administration française. **Le législateur français a en effet ouvert la fonction publique**, sous l'effet de la jurisprudence (règles de droit) développée par la Cour de justice des Communautés européennes (CJCE) de Luxembourg.

▶▶ **Deux arrêts de la CJCE** du 17 décembre 1980 et du 26 mars 1982 *Commission contre Belgique* ont précisé que seuls les emplois comportant une participation directe ou indirecte à l'exercice de la puissance publique et aux fonctions ayant pour objet la sauvegarde des intérêts généraux de l'État et des autres collectivités étaient exclus de la libre circulation.
La Commission européenne s'est ensuite fondée sur cette jurisprudence pour établir une liste des emplois qui, selon elle, devaient être ouverts aux citoyens de l'UE.

▶▶ **En France, la loi du 26 juillet 1991** (complétée par celles du 16 décembre 1996 et du 26 juillet 2005) **a adapté**

le statut général de la fonction publique et posé le principe de l'accès des ressortissants communautaires à la fonction publique, en s'inspirant ainsi directement des principes dégagés par la CJCE. Le décret pris en Conseil d'État du 6 janvier 2003 a ensuite ouvert de nombreux corps et emplois de fonctionnaires de l'État, accentuant le principe de libre circulation des travailleurs.
Ainsi, 80% de la fonction publique de l'État sont aujourd'hui ouverts aux ressortissants d'un État membre de l'UE. En revanche, les emplois qui ne sont pas séparables de l'exercice de la Souveraineté ou qui comportent une participation, directe ou indirecte, à l'exercice de prérogatives de puissance publique de l'État ou des autres collectivités demeurent réservés aux nationaux français.

▶▶ Enfin, des commissions ont été mises en place pour apprécier les **équivalences de diplômes** afin de faciliter l'accès des citoyens de l'UE aux emplois des trois fonctions publiques.

L'administration de l'Union européenne

L'administration de l'Union européenne (UE) est une machine complexe. D'abord, parce qu'elle doit tenir compte de l'existence des différentes institutions, qui ont chacune leur autonomie. Ensuite, parce qu'elle doit répondre à des exigences particulières, comme refléter, dans son recrutement de personnel, de la diversité culturelle des pays membres de l'UE.

Les différentes administrations de l'UE

Les **services administratifs du Conseil de l'Union européenne** (dit Conseil des ministres) sont organisés autour du secrétariat général. Il est divisé en directions générales, qui ont chacune la charge d'un secteur particulier. Plus de 3000 fonctionnaires, recrutés sur concours, y travaillent. Ils assistent et conseillent la présidence du Conseil de l'UE notamment pour la négociation de compromis. Ils sont sous l'autorité du secrétaire général, nommé, à l'unanimité, par le Conseil de l'UE. Il est assisté d'un secrétaire général adjoint et, depuis le traité d'Amsterdam, assure également les fonctions de Haut représentant de l'Union pour la politique étrangère et de sécurité commune (PESC).

Le fonctionnement interne du **Parlement européen** est piloté par le Bureau du Parlement, composé du président du Parlement, de 14 vice-présidents et de 6 questeurs. Il s'occupe de l'état prévisionnel du Parlement, de l'organisation administrative et financière du secrétariat et de ses services. Le secrétariat général, installé à Luxembourg et Bruxelles, assiste le Parlement avec ses quelques 5000 fonctionnaires placés sous l'autorité d'un secrétaire général.

La **Commission européenne** regroupe l'administration la plus importante de l'Union, avec aujourd'hui plus de 20000 fonctionnaires. Le secrétaire général assure la gestion de l'ensemble des services, mais constitue également le lien indispensable entre les services de la Commission et ceux des autres institutions européennes. Les services sont répartis entre différentes directions générales, dont l'importance peut varier selon le secteur pris en charge (ex : la direction générale de la concurrence a une mission essentielle et très sensible dans un contexte d'ouverture à la concurrence).
Les questions relatives aux « relations extérieures » occupent également une place importante dans les services de la Commission. Elles sont prises en charge par des directions ou des offices qui interviennent aussi bien dans le domaine commercial (direction générale du commerce), sur la question des élargissements (direction générale de l'élargissement) ou de développement et d'aide humanitaire avec les pays tiers.
Enfin, la Commission dispose de bureaux d'informations dans les États membres et de délégations dans les pays tiers et auprès d'organisations internationales.

Quant à l'administration de la **Cour de justice des Communautés européennes**, elle repose sur les épaules du greffier de la Cour, qui fait office de secrétaire général et dirige les services de l'institution.

Comme pour les autres institutions, les traducteurs-interprètes jouent un rôle essentiel.

La fonction publique européenne

Elle a fait l'objet d'une réforme profonde avec **l'adoption d'un nouveau statut, par le Conseil de l'UE, le 22 mars 2004.**
L'ancien statut était fortement influencé par le modèle français du système de la carrière. Depuis la réforme, le nouveau statut intègre une composante plus importante du système de l'emploi.

Ainsi, la structure de la carrière, autrefois fondée sur quatre catégories de fonctionnaires (A, B, C, D) s'articule autour de **deux catégories de personnel** (les administrateurs et les assistants), les grades d'entrée dans ces catégories étant modulés selon les besoins. Le principe du recrutement par concours demeure.

Autre nouveauté, la **place plus importante désormais réservée au mérite** par rapport à l'ancienneté dans l'évolution des carrières. L'ancien système, comme le système français, reposait essentiellement sur l'ancienneté. Désormais, il est prévu que la hausse des rémunérations liée à l'ancienneté soit inférieure à 20 %. Pour cela, on a réduit le nombre d'échelons d'ancienneté et augmenté le nombre de grades accessibles par promotion. Le passage d'un grade à un autre dépend maintenant des résultats de l'évaluation annuelle des agents.

La **politique sociale et les conditions de travail sont modernisées**. Ainsi, la réforme a introduit un congé parental accessible aux parents d'enfants de moins de douze ans. De même, les avantages statutaires liés au mariage sont étendus à tous les « partenariats stables », hétérosexuels ou homosexuels, légalement reconnus.

Enfin, durant la carrière, est officiellement imposée la **maîtrise d'une seconde langue étrangère** avant de pouvoir bénéficier d'une première promotion.

Les Français dans l'Union européenne

Le **modèle administratif communautaire** a été largement **inspiré**, à l'origine, **par la tradition administrative française**. Cela s'est traduit par plusieurs caractéristiques, comme le mode de recrutement par concours, le choix du système de la carrière plutôt que du système de l'emploi à l'américaine pour la fonction publique communautaire (la situation a évolué depuis avec la réforme de 2004).

Néanmoins, aujourd'hui, **l'influence française a diminué**. D'abord, les élargissements successifs de l'UE ont exigé de « faire de la place » pour les fonctionnaires des nouveaux pays entrants.
Ensuite, l'administration française ne développe pas de stratégie d'influence fondée sur le nombre de fonctionnaires français présents dans les instances européennes. Surtout, l'administration française valorise peu, à leur retour, l'expérience des fonctionnaires nationaux détachés, dans le cadre de la mobilité, à la Commission européenne (les « experts nationaux »).

LIENS UTILES

Le site de la présidence de la République
(http://www.elysee.fr/accueil)

À travers ses différentes rubriques, le site de la présidence de la République propose une présentation rapide des institutions de la Ve République (textes fondateurs, symboles républicains, rôle du président...), du président de la République, de ses collaborateurs et des services de la présidence. On peut y trouver également les discours du chef de l'État, ainsi que les communiqués du Conseil des ministres.

Le portail du gouvernement français
(http://www.premier-ministre.gouv.fr/fr/)

Ce portail du gouvernement français permet, entre autres, d'avoir accès à la composition du gouvernement actuel, à la liste des chefs de gouvernements depuis la IIIe République, à une présentation des services du Premier ministre, ainsi qu'aux comptes-rendus du Conseil des ministres. Des dossiers d'actualité présentent les projets gouvernementaux. Enfin, l'information se complète d'une série de liens sur les principaux sites des ministères et administrations centrales (gouv.fr), et de données historiques (images et textes).

Le site de la Direction générale des collectivités locales
(http://www.dgcl.interieur.gouv.fr/index.html)

La Direction générale des collectivités locales (DGCL) « constitue le lien administratif et technique privilégié entre l'État et les collectivités locales. » Sur ce site, elle informe sur son activité, donne accès à des bases de données juridiques et chiffrées relatives aux collectivités locales, propose la consultation de documents officiels produits par ses services partenaires, renvoie sur des offres d'emplois territoriaux.

Le site de l'Outre-mer
(http://www.outre-mer.gouv.fr/outremer/front)

Ce site du ministère de l'Intérieur, de l'Outre-mer et des Collectivités territoriales propose une présentation du ministère, mais surtout des différentes collectivités territoriales situées en outre-mer (localisation, institutions, histoire, populations, climat…).

Le site de Légifrance
(http://www.legifrance.gouv.fr/)

Ce site juridique, qui remplit la mission de service public de diffusion du droit, permet d'accéder notamment aux lois et règlements en vigueur, au *Journal officiel* depuis 1989, aux différents codes comme le Code des marchés publics et le Code de justice administrative, ainsi qu'à la liste des autorités administratives indépendantes avec un lien vers leurs sites respectifs.

Le site du ministère du Budget, des Comptes publics et de la Fonction publique
(http://www.fonction-publique.gouv.fr/)

Ce site se veut une banque de données sur l'organisation de la fonction publique (son fonctionnement, ses effectifs, son implantation…), donnant à ce titre des informations sur les concours de recrutement.

Le site du Conseil d'État
(http://www.conseil-etat.fr/ce/home/index.shtml)

Échelon suprême de la juridiction administrative, conseiller juridique du gouvernement, le Conseil d'État présente en ligne une sélection de ses décisions depuis 1999, ses rapports et études, quelques grands avis, son organigramme, un historique, une présentation détaillée de la justice administrative, mais aussi un panorama des juridictions administratives dans le monde.

Le site « Forum de la performance »
(http://www.performance-publique.gouv.fr)

Pour approfondir les questions relatives à la performance et consulter leur mise en œuvre dans les différentes politiques publiques. Ce site comprend notamment une présentation claire de la démarche de performance dans le budget de l'État et la gestion publique, propose des documents sur les nouveaux modes de gestion ainsi que tous les documents budgétaires avec leurs PAP et leurs RAP. Au-delà, il comporte des rubriques relatives aux finances publiques, au budget de l'État, à la LOLF, aux ressources documentaires et aux comparaisons internationales.

Le site de la révision générale des politiques publiques
(http://www.rgpp.modernisation.gouv.fr/)

Ce site présente ce vaste mouvement de réforme de l'État, lancé en juillet 2007, dont la mise en œuvre s'effectuera en majorité à partir de 2009. Il fait le point sur l'actualité, le calendrier et les acteurs de cette réforme.

Le portail de l'administration française
(http://www.service-public.fr/)

Ce portail propose des renseignements sur les démarches administratives et les droits des particuliers. Des télé-formulaires et une sélection des textes de référence fondamentaux complètent l'information.

Table des matières

Chapitre 1
Définir l'administration 7

- Comment définir l'administration?
- Quelles sont les différences entre administration et fonction publique?
- Quelle distinction entre administration et service public?

Encadré : La notion de service public

- Secteur public et service public sont-ils synonymes?
- Quelles sont les différentes fonctions de l'administration?

Encadré : L'évolution du périmètre du secteur public d'entreprises

- Comment l'administration participe-t-elle à l'application des lois?
- Qui dirige l'administration?

Encadré : Subordination et indépendance de l'administration par rapport au gouvernement

- Quelles sont les spécificités de l'administration française?

Encadré : Histoire de l'administration

Chapitre 2
L'administration d'État 27

- Quels sont les rôles respectifs du président de la République et du Premier ministre?
- Que sont l'administration centrale et les services déconcentrés?

Encadré : L'administration dans les grands pays occidentaux

L'administration centrale 30

- Comment s'organise l'administration centrale?
- Qu'est-ce qu'un ministère?
- À quoi sert un cabinet ministériel?
- Comment est composé un cabinet ministériel?

Encadré : Administration et politique

Les services déconcentrés 35

- Comment s'organisent les services déconcentrés?

- Qui dirige au niveau local ces services déconcentrés?
- Dans quelles circonscriptions administratives s'insèrent-ils?

Encadré : Les pouvoirs du préfet et leurs évolutions

Les autorités administratives indépendantes **40**

- Qu'est-ce qu'une autorité administrative indépendante?
- Quel est le rôle d'une AAI?
- Quels sont ses pouvoirs?
- Quelles sont les différentes autorités administratives indépendantes?
- Comment s'organise une AAI?

Encadré : Les autorités administratives indépendantes face aux autres institutions politiques et administratives

Chapitre 3
L'administration territoriale décentralisée **47**

- Quelle est la différence entre la décentralisation et la déconcentration?

Encadré : La révision constitutionnelle de 2003

- Qu'est-ce que l'administration territoriale décentralisée?

Encadré : La libre administration des collectivités territoriales : principes et limites

- Quelles sont les différentes collectivités territoriales?
- Qui dirige l'administration territoriale décentralisée?
- Qu'est-ce qu'une délégation de compétences?

Encadré : La loi de décentralisation du 2 mars 1982

- Quels sont les différents types de collectivités territoriales en outre-mer?

Encadré : Statuts et modes d'administration des collectivités situées en outre-mer

- Qu'est-ce que l'intercommunalité?

Encadré : La complexité de l'organisation territoriale française et ses conséquences

- Quelles sont les différentes structures intercommunales?
- Quelles sont les nouvelles compétences transférées aux collectivités en 2004?

Encadré : Le contrôle des collectivités territoriales

Chapitre 4
Les autres structures administratives 79

- Que sont les services à compétence nationale?
- Qu'est-ce qu'un établissement public?
- Que sont les établissements publics administratif (EPA) et industriel et commercial (EPIC)?

Encadré : Les universités et les centres d'action sociale : des exemples d'établissements publics national et local

- Qu'appelle-t-on démembrement de l'administration?
- Qu'est-ce qu'une association?
- GIP, GIE, fondation : quelles différences?

Encadré : Les remises en cause de l'établissement public

Chapitre 5
Les agents de l'administration 91

- Quelles sont les différentes catégories d'agents dans l'administration?
- Qu'est-ce qu'un fonctionnaire?
- Selon quel principe est organisée la fonction publique française?

Encadré : Le fonctionnaire, un salarié comme un autre?

- Existe-t-il différentes catégories de fonctionnaires?
- Comment devient-on fonctionnaire?

Encadré : Statuts général, particuliers, spéciaux et autonomes : les différences

Encadré : Le statut général de la fonction publique

- Quels sont les droits des fonctionnaires?

Encadré : Les effectifs de la fonction publique

- Quels sont les devoirs des fonctionnaires?
- Qu'est-ce qu'un grand corps de l'État?
- Quels sont les grands corps de l'État?

Encadré : Histoire de la fonction publique

Chapitre 6
L'action de l'administration 113

Les voies et moyens d'action 113

- Que sont les actes administratifs unilatéraux?
- En quoi consistent les contrats administratifs?

- Actes administratifs unilatéraux, contrats administratifs : quelles différences?
Encadré : Abrogation et retrait des actes administratifs unilatéraux
- Qu'est-ce qu'une ordonnance?
- Qu'est-ce qu'un décret?
- Qu'est-ce qu'un arrêté?
- Qu'est-ce qu'une circulaire?
- Quelle est la hiérarchie entre ces différents textes?
- Que sont des marchés publics et des délégations de service public?
- Quelles sont les nouvelles modalités de passation des marchés publics?
Encadré : Les nouvelles formes contractuelles

Une action encadrée 126
- L'administration est-elle libre d'agir?
- Qu'est-ce que le principe de légalité?
Encadré : La responsabilité des acteurs locaux
- L'administration doit-elle respecter le droit de la concurrence?
- Quelles sont les différentes formes de responsabilité de l'administration?
- L'administration est-elle soumise au principe de précaution?
Encadré : L'administration pénitentiaire : un exemple d'administration de plus en plus contrôlée

Chapitre 7 Une administration contrôlée 135

La justice administrative : le contrôle juridictionnel 135
- Pourquoi une justice administrative?
Encadré : La dualité de juridiction : raisons d'être et remises en cause
- Dans quels cas s'adresser au juge administratif?
Encadré : Les quatre types de contentieux administratif
- Quels sont les grands principes du contentieux administratif?
- Quels sont les pouvoirs du juge administratif?
Encadré : L'administration face au juge judiciaire
- À quelle juridiction administrative doit-on s'adresser en premier lieu?

- De quels recours dispose-t-on pour contester une action de l'administration?
Encadré : Le Conseil d'État : conseiller et juge
- Quel est le rôle du juge des référés?
Encadré : Les différents référés

Les contrôles non juridictionnels 153
- En quoi consiste le contrôle non juridictionnel?
- Qui est chargé du contrôle interne?
- De quels moyens dispose le Parlement pour contrôler l'action de l'administration?
- Comment le Parlement peut-il contrôler l'administration par les commissions?
- Comment les délégations et les offices parlementaires participent-ils au contrôle de l'administration?
- Quel est le rôle de la Cour des comptes?
- Quelle forme de contrôle assurent les AAI?
- À quoi sert le Médiateur de la République?
- Qu'est-ce que la CADA?

Chapitre 8
Moderniser l'administration 163
- Pourquoi moderniser l'administration?
- Qu'est-ce que la réforme de l'État?
Encadré : Les grandes étapes de la réforme de l'État

S'adapter aux attentes des usagers 167
- Comment améliorer l'accueil des usagers?
- Qu'est-ce que la simplification des formalités et des procédures administratives?
- Comment améliorer la transparence de l'administration?
- Les usagers peuvent-ils participer à la vie de l'administration?
- Comment la justice administrative peut-elle être plus efficace?

Améliorer la gestion et les performances de l'administration 172
- Pourquoi réformer le cadre financier de l'administration?
- Qu'est-ce que la LOLF?
Encadré : La réforme du budget de l'État
- Qu'appelle-t-on « gestion par la performance »?
- Comment évaluer les performances de l'administration?

- Quel est l'impact de la LOLF sur la gestion des ressources humaines?
- Qu'en est-il des finances locales?
- Pourquoi une loi de financement de la Sécurité sociale?

S'adapter au cadre européen **182**
- En quoi le droit communautaire concerne-t-il l'administration?
- Par quels moyens l'administration française peut-elle intervenir au niveau européen?
- Comment l'administration française applique-t-elle le droit communautaire?
- Quelles sont les difficultés de l'administration française pour transposer les textes communautaires?
- Comment assurer une meilleure application du droit communautaire?
- Les citoyens de l'UE peuvent-ils travailler dans l'administration française?

Encadré : L'administration de l'Union européenne

Annexe
Liens utiles **191**

Achevé d'imprimer par Corlet, Imprimeur, S.A. - 14110 Condé-sur-Noireau
N° d'Imprimeur : 120402 - Dépôt légal : mars 2009 - *Imprimé en France*